# LOST™
## IDENTITÉ SECRÈTE

# DANS LA MÊME SÉRIE

# LOST™

## IDENTITÉ SECRÈTE

## CATHY HAPKA

Roman inspiré de la série
créée par Jeffrey Lieber et J.J. Abrams
& Damon Lindelof

Fleuve Noir

Titre original :
*LOST : Secret Identity*

Traduit de l'anglais
par Annie Hamel

En exclusivité sur

Originally published in the United States and Canada by Hyperion
as **LOST: SECRET IDENTITY**. This translated edition published by
arrangement with Hyperion.

# 1

Dexter ouvrit les yeux et se trouva plongé dans l'obscurité.

— Daisy ! fit-il, d'une voix étranglée. Daisy, où es-tu ?

Désorienté, il capta le vacarme alentour avec un temps de retard : hurlements hystériques, cris rauques ; fracas du métal sur le métal ; bruits sourds, dérapages, éclatements. Et dans ce tumulte, une espèce de vibration rythmée, faisant écho au martèlement, dans sa tête. Ce chaos sonore le terrifiait, sans qu'il pût s'expliquer pourquoi. Son instinct lui disait de s'échapper, de trouver Daisy et de s'enfuir…

Il voulut se lever mais quelque chose l'en empêcha, déclenchant une douleur diffuse au niveau de sa taille. Cela dut réveiller sa sensibilité, car les douleurs se généralisèrent.

Que lui arrivait-il ? Et pourquoi ne voyait-il toujours rien ? L'obscurité restait totale, alors que l'affreuse symphonie, autour de lui, prenait de l'ampleur. Dexter porta la main à ses yeux, paniqué. Et s'aperçut qu'un tissu mou lui couvrait la figure. Il le retira d'un coup : c'était une couverture, portant le logo d'Ocean Airlines.

Dexter retrouva alors ses esprits. Il était assis dans un avion, censé le ramener aux Etats-Unis. Le bras qui l'empêchait de se lever n'était autre que la ceinture de sécurité, toujours attachée, même si le reste de l'appareil, autour de lui, semblait s'être désintégré...

« Daisy ! », songea-t-il, affolé.

Il tourna la tête vers le siège d'à côté. Et constata qu'il était vide.

Il cillait encore, sa vision s'adaptant peu à peu à la luminosité, quand un visage anxieux, celui d'un jeune homme, se pencha vers lui depuis la travée.

— Ça va, mon vieux ? lui demanda-t-on.

— Je...

Dexter voulut parler, mais sa langue resta collée à son palais. Il déglutit, affolé : il lui semblait voir son propre visage, comme dans un miroir !

Puis la figure de l'étranger lui apparut telle qu'elle était réellement. Et Dexter vit qu'il ne lui ressemblait pas, même s'ils avaient à peu près le même âge. Le jeune homme avait des yeux plus clairs, des cheveux plus foncés, un front très différent du sien et pas du tout le même nez.

— Je... reprit Dexter.

Puis il se tut, irrésolu.

Il avait de la peine à fixer son regard sur son interlocuteur, dont les cheveux noirs ébouriffés, les yeux bleus, et inquiets, lui apparaissaient comme à travers un aquarium.

— Tenez bon ! dit le garçon. Nous allons vous sortir de là tout de suite.

— D'ac... D'ac...

Dexter s'interrompit, butant sur la deuxième syllabe. Il dut fournir un réel effort pour réussir à parler.

— D'accord.

Le fait d'avoir prononcé ce simple mot l'avait vidé de ses forces. Ses paupières se fermaient toutes seules, le noir envahissait peu à peu son champ de vision.

— Accrochez-vous ! lui ordonna le jeune homme, sur un ton pressant. Restez avec nous, vieux, O.K. ? Parlez-moi. Comment vous appelez-vous ?

Dexter ne doutait pas de connaître la réponse à cette question, qui pourtant lui échappait. Il se concentra du mieux qu'il put et finit par se rappeler.

— Dexter... Dexter Cross, dit-il dans un souffle.

Puis il cessa de lutter et s'évanouit.

\*\*\*

Il n'aurait su dire combien de temps il était resté sans connaissance. Une fois de plus, il émergea dans les ténèbres. Que trouaient cependant la pâle clarté de la lune, et la lueur orangée de feux de camp. Dexter se demanda où il se trouvait. Du sable lui piquait la peau. Une brise assez vive hérissa les poils de ses bras, et il reconnut l'odeur salée, saumurée de la mer. Il voulut se frotter les membres pour se réchauffer et retint un cri : ses muscles étaient affreusement courbaturés. Ce simple geste sembla agacer tous ses nerfs et il ne fut plus que douleur, de la tête aux pieds, comme si un géant furieux venait de le piétiner.

Il se souvint alors de l'accident d'avion et crispa les paupières, comme pour occulter les images horribles qui fusaient dans son esprit. Des moteurs hurlants, des gens qui crient. L'impression d'être projeté en avant, comme l'appareil perdait de l'altitude, puis encore une saccade, et une autre, chaque fois suivies d'une chute libre. Et la sensation que ses boyaux lui remontaient dans la gorge. La dernière chose dont il se souvenait, c'étaient les masques à oxygène se balançant dans le vide, et l'angoisse de ne pas réussir à en saisir un...

Dexter rouvrit les yeux, s'efforçant d'oublier ces images. Il se redressa en grommelant de douleur.

— Ah, vous êtes réveillé !

Un homme d'âge mûr le considérait d'un air soucieux. Il avait de petits yeux intelligents et des joues rondes et flasques, rappelant celles d'un bon chien.

— Ne bougez pas. Je vais chercher Jack !

L'homme se dirigea vers l'un des feux à grands pas. Dexter porta une main à sa tête : il avait l'impression d'avoir un gros morceau de coton à la place du cerveau. Il ne savait pas qui était Jack, ni l'autre homme, mais il n'avait pas vraiment hâte de l'apprendre.

Il regarda autour de lui, curieux. Il se trouvait sur une plage, éclairée par la lune, et comme surexposée. Derrière lui, une jungle tropicale, qui semblait s'enfoncer dans l'obscurité. Un vrai décor de carte postale. A condition d'oublier les débris de métal qui jonchaient les lieux. La carcasse éclatée de l'avion – roues renversées, pièces de moteur, tôles froissées – gâchait ce tableau idyllique. Il faisait trop sombre pour discerner les détails, mais Dexter percevait les contours d'une aile immense, et brisée, gisant sur le sable, ainsi qu'un fragment du fuselage piqué sur la plage telle une caverne futuriste.

Plusieurs feux de camp brûlaient, à proximité de l'épave ; des dizaines de personnes se serraient tout autour. Quelques rescapés semblaient dormir, mais la plupart étaient réveillés, malgré l'heure tardive. Certains d'entre eux parlaient à voix basse, réunis en petits groupes, assis sur des couvertures ou sur des serviettes, ou encore debout. D'autres, solitaires, regardaient la mer, la jungle, ou le sable à leurs pieds.

Combien de passagers avaient embarqué à bord de cet avion ? Plusieurs centaines, songea Dexter. Il entreprit de compter les survivants. Il n'en avait dénombré qu'une quinzaine, quand un homme de grande taille, et plutôt séduisant s'approcha de lui. Il arborait des cheveux coupés en brosse, une expression sérieuse. Il portait un pantalon noir maculé de sable, un maillot de corps blanc. Il avait une barbe naissante, et de vilaines entailles sur le visage. Et pourtant il en imposait. Dexter éprouva une émotion à sa vue qu'il ne put nommer. Peur, jalousie, ressentiment ?

— Salut, dit l'inconnu. Vous êtes Dexter, n'est-ce pas ? Je m'appelle Jack. Arzt m'a dit que vous étiez réveillé. Tant mieux. Vous êtes resté sans connaissance un bon bout de temps. Comment vous sentez-vous ?

— Un peu abruti, répondit Dexter.

Ce qui était vrai.

— Cela ne m'étonne pas. Vous étiez tellement déshydraté que vous vous êtes évanoui. Autrement vous avez eu de la chance. Je vous ai examiné il y a deux heures, et tout semble fonctionner.

— Tant mieux.

Dexter s'interrompit pour vider la moitié de la bouteille d'eau que lui tendait Jack.

— Je me déshydrate facilement. Un jour, en mer, j'ai failli tourner de l'œil. J'étais sorti avec mon cousin, et il avait oublié d'emporter à boire. Il était tellement affolé, quand il m'a vu dans cet état, qu'il m'a fait jurer de rester en vie, en échange de mille dollars. Jay croit que l'argent peut résoudre n'importe quel problème. Il faut dire qu'il est milliardaire.

Dexter haussa les épaules et sourit. Cette histoire parut laisser Jack indifférent. Il tâta le front du rescapé, puis referma ses doigts sur son poignet et prit son pouls.

— Bon, ça devrait aller, déclara-t-il. Mais buvez beaucoup d'eau, et essayez de manger quelque chose. Il y a un type qui a récupéré de la nourriture, dans l'avion. Il s'appelle Hurley. Il vous donnera ce qu'il faut.

Dexter fit la grimace. L'idée de manger lui soulevait le cœur, *a fortiori* un repas froid.

— Merci, dit-il, mais je n'ai vraiment pas faim.

— Très bien, peut-être aurez-vous de l'appétit demain matin.

Jack se releva.

— Je vous conseille de dormir un peu avant que les secours arrivent.

— Les secours.

Ce mot fut comme un électrochoc pour Dexter, bien qu'il n'eût pas retrouvé toute sa vivacité d'esprit.

— Comment se fait-il qu'ils ne soient pas déjà là ? Ils doivent savoir que nous nous sommes crashés. Et où sommes-nous, d'ailleurs ?

Jack haussa les épaules.

— Je suis sûr que les secours sont en route. Maintenant essayez de dormir.

Dexter voulut protester – il avait d'autres questions à poser, des questions importantes ; oui, mais lesquelles ? Et puis il était tellement plus simple de s'allonger sur le sable et de se détendre. Il regarda les étoiles, qui palpitaient dans les cieux, et que masquaient parfois les nuages. Instinctivement, il porta la main à son visage et toucha la cicatrice irrégulière et violette qui lui barrait le menton.

— Vous vous êtes fait ça comment? s'enquit Jack.

Dexter cilla, déjà à moitié endormi.

— Une chute de cheval, répondit-il. J'ai voulu jouer au polo, mais cela n'a pas été très concluant.

Il ricana.

— Ce foutu canasson m'a balancé par terre au bout de deux minutes.

Jack hocha la tête.

— Bonne nuit, dit-il.

Mais Dexter l'entendit à peine. Il commençait à s'assoupir, tout en tâtant sa cicatrice.

## 2

— Arrête de tripoter ça, mon petit !

Dexter ôta prestement sa main de sa cicatrice,
comme sa tante lui donnait une tape, agacée, ce qui
fit trembler les chairs adipeuses de son bras bronzé.
Le gamin vit qu'un client leur lançait un regard
désapprobateur.

— Pardonne-moi, dit-il.

Il referma ses mains sur les poignées du caddy, les
yeux baissés.

— Par là, Dexie ! Je voudrais voir s'ils ont mis les
chips en promo, pour une fois.

Dexter suivit la silhouette massive de sa tante. Il
détestait ces courses hebdomadaires. Et ces grandes
surfaces, aux innombrables allées, bordées de gondoles
chargées de nourriture jusqu'au plafond. Le spectacle
de ces conserves empilées, de ces horribles colifichets,
de ces vêtements pour enfants fabriqués en Chine lui
donnait la nausée. Et puis l'air conditionné – et glacial
– qui circulait dans le magasin ne pouvait gommer les
odeurs de plastique bon marché et de mauvaise sueur qui

imprégnaient les lieux. L'ensemble était déprimant, et il lui déplaisait vivement d'y revenir chaque semaine.

Mais on ne lui demandait pas son avis. Paula n'avait pas d'enfants, et la mère de Dexter tenait à ce qu'il l'aide à faire ses courses. Il n'avait pas d'autre choix que d'obéir et d'attendre ses dix-huit ans, date à laquelle il pourrait enfin s'arracher à leurs griffes.

Comme Dexter manœuvrait le chariot pour éviter un petit garçon vêtu seulement d'une couche-culotte, sa tante Paula prit de l'avance. Etonnamment agile pour une femme de sa corpulence, elle tourna au coin d'une allée et disparut à sa vue. Quelques instants plus tard, il l'entendit pousser une exclamation ravie, de l'autre côté de la gondole.

— Ah, tout de même ! lança-t-elle, triomphante.

Sa voix suraiguë portait loin, et plusieurs têtes se tournèrent, dans le magasin.

— Quinze « cents » de moins ! Nous avons intérêt à faire une réserve de gâteaux apéritif. Va savoir quand ils referont une telle promotion. Mais où es-tu passé, mon petit ? Viens voir !

Dexter se demanda, inquiet, ce qui mettait Paula de si bonne humeur. D'après sa mère, elle détestait son emploi au drugstore, et n'avait toujours pas réussi à soutirer plus d'argent à son ex-mari. Habituellement, Paula sillonnait le magasin en se plaignant des prix, mais aujourd'hui, elle semblait presque gaie.

Se repérant au son de sa voix, Dexter contourna une immense pyramide de boîtes de raviolis, et s'engagea dans la travée où l'attendait sa tante, les bras chargés de paquets de chips.

— Allez, on se dépêche ! lança-t-elle. Nous avons plein de choses à faire, aujourd'hui.

Elle tapota l'épaule de Dexter, avant de s'emparer d'une nouvelle cargaison de gâteaux salés.

— Eh, les gars, vous avez vu qui est là ?

Dexter se figea sur place, horrifié. Deux garçons et une fille venaient d'apparaître, à l'autre extrémité de la travée. Zach Carson, Daryl Sharp, Jenna O'Malley… Trois « vedettes » du lycée, originaires des beaux quartiers. Il se demanda ce qu'ils venaient faire ici, dans ce supermarché minable. Si seulement il avait pu disparaître dans un trou de souris…

Le trio se dirigea nonchalamment vers eux, comme Paula remontait l'allée d'une démarche tanguante, tel un navire trop chargé. Dexter rougit jusqu'aux oreilles, tandis que ses camarades se plaquaient contre les gondoles avec ostentation sur son passage. Paula ne remarqua rien, mais Dexter se sentit victime, une fois de plus, de ses origines sociales.

Ses condisciples s'arrêtèrent à sa hauteur. Il tenta d'afficher une expression indifférente.

— Tu viens t'acheter un T-shirt de marque, Dex ? s'enquit Daryl, provocateur.

Il tâta la manche de Dexter, prit un air dégoûté.

Zach eut un mauvais rire.

— Nan, mec, fit-il. Dex se cherche une voiture. Pas une vraie, bien sûr, mais celle de Barbie devrait être dans ses moyens.

— Bon, les gars, on y va maintenant ! intervint Jenna, d'un air las.

Elle toisa Dexter avec hauteur.

— Allons acheter ces sodas, et fichons le camp. Cet endroit craint.

Daryl passa un bras autour des épaules de la jeune fille et lui colla un baiser maladroit sur la joue.

— Eh ! fit l'adolescente, en reculant d'un pas. Qu'est-ce qui te prend ?

— Ah, vous êtes là ! Vous essayez de me semer, ou quoi ?

Dexter jeta un coup d'œil en direction de la voix. Une jeune fille blonde et mince, avec des yeux bleus magnifiques se dirigeait vers eux.

— Désolée, Kris, dit Jenna. Je croyais que tu étais derrière nous.

— Ce n'est pas grave.

La nouvelle venue vit que Dexter la regardait, et lui décocha un sourire charmant.

— Salut, Dexter. Comment ça va ?

— Ça va, marmonna-t-il, intimidé.

Il avait honte de ses vêtements miteux, de ce caddy rempli de denrées à bas prix. Il était amoureux de cette fille depuis des années, mais il l'avait toujours caché. Une adolescente comme Kris Vandevere ne se serait jamais intéressée à un garçon comme lui – qui n'avait ni voiture, ni argent, ni relations – un garçon sans avenir.

Si seulement il avait été quelqu'un d'autre… Dexter se laissa happer par son fantasme favori, celui qu'il peaufinait depuis des mois, en cours de biologie, tout en fixant les épaules de Kristin, et ses boucles blondes. Dans un autre monde, il devenait un nouveau Dexter – assuré, charmeur, irrésistible.

— Qu'est-ce que tu fais là, mon petit Dexy ?

La voix moqueuse de Daryl l'arracha brutalement à sa rêverie.

— Tu aides ta grosse tante à trouver de quoi s'empiffrer ?

Dexter se raidit, serra les poings. Il s'accommodait

du fait que les garçons de la classe le malmènent – il y était habitué. Mais se voir humilié devant Kristin lui donnait envie d'écraser son poing dans la figure de Daryl, de la réduire en bouillie.

Mais il ne le fit pas. Il ne pouvait se le permettre. D'une part, ce serait lui, et non Daryl, cette brute, qui finirait en bouillie. Et puis il évitait toute confrontation avec ses pairs. Il lui semblait plus facile de ne pas réagir à l'insulte.

— Peu importe, fit Jenna, en tirant sur le T-shirt de Daryl. Viens ! J'en ai assez de ce magasin.

— D'accord, d'accord. Arrête de te plaindre, femme !

Il se laissa toutefois entraîner vers l'autre bout de la travée. Les deux autres leur emboîtèrent le pas. Kristin s'attarda un instant et adressa un petit signe de la main à Dexter.

— A mardi, en cours de biologie !

— Oui, coassa-t-il, d'un ton qu'il aurait voulu désinvolte, mais qui resta emprunté. A mardi.

Il la suivit des yeux jusqu'à ce qu'elle disparaisse, au coin de la travée. Puis il poussa un soupir résigné. Pour une fille comme Kris, il ne serait jamais rien d'autre que ce pauvre garçon assis derrière elle en cours de biologie. Il avait donc tout intérêt à s'en persuader, et à placer la barre moins haut…

Badaboum !

Le vacarme soudain l'arracha à ses pensées. Il semblait que le magasin s'écroulait.

Laissant le caddy où il était, Dexter courut voir ce qui se passait. Il contourna la gondole, déboucha dans la travée, et vit un tas de boîtes plates et colorées au milieu duquel gisait une grosse dame, telle une baleine échouée en plein supermarché : sa tante. Sa vieille robe bleu délavée était remontée sur ses jambes, laissant apparaître deux cuisses difformes. Elle avait perdu une chaussure.

— Tante Paula! s'écria Dexter, en s'agenouillant à côté d'elle.

Elle grimaçait de douleur, et il détourna les yeux, gêné. Son regard s'arrêta sur l'une des boîtes qui jonchaient le sol, et où s'étalait la photo d'un homme souriant, riche et beau, qui faisait griller des steaks sur le pont d'un yacht. « Jack Cross, grand cuisinier », d'après les lettres dorées, sur le paquet. Qui contenait l'un des grils Cross – vus à la télé, et vendus dans les meilleurs magasins. Dexter fixa le cuisinier, rêveur. Si seulement Jack avait pu l'emmener avec lui, dans un monde meilleur...

Là-dessus une employée du supermarché parut, et considéra Paula, les yeux écarquillés.

— Ça va, madame? s'enquit-elle, manifestement inquiète.

— Non! Ça ne va pas du tout! grinça Paula d'une voix flûtée. Ces boîtes me sont tombées dessus. Oh, mon dos! Appelez une ambulance. Je ne peux plus bouger!

## 3

Quand Dexter ouvrit à nouveau les yeux, il faisait jour. Ses courbatures, quoi que plus discrètes, s'étaient généralisées. Il se mit en position assise, puis s'étira en grimaçant. On lui avait fabriqué une tente de fortune avec une bâche goudronnée, qui projetait une ombre fraîche sur le sable, malgré la chaleur.

Il jeta un coup d'œil à sa montre, mais elle était arrêtée. Ne pas savoir l'heure le désorienta d'autant plus. Combien de temps s'était-il écoulé depuis l'accident ? Percevant des bruits de conversations alentour, il décida d'aller aux nouvelles.

Dès qu'il sortit de sous la bâche, la chaleur sembla s'abattre sur lui, le faisant presque tituber. La bouteille d'eau que lui avait donnée Jack était encore à moitié pleine. Dexter retourna la chercher sous la tente, et s'empressa de la vider, bien que l'eau fût tiède. Cela lui éclaircit quelque peu les idées, mais provoqua un spasme dans son estomac : la faim !

Il fallait qu'il mange. Cela lui redonnerait un peu d'énergie.

Jack avait parlé de quelqu'un qui avait récupéré les plateaux-repas dans l'épave. La veille, la perspective d'avaler ces mets froids, gras, et insipides lui avait donné la nausée. A présent, cela le faisait saliver.

Dexter parcourut la plage du regard. Jusqu'ici, personne ne lui avait prêté la moindre attention. Des gens déambulaient au bord de l'eau, erraient entre les débris de l'avion, ou transportaient des bagages et d'autres affaires d'un point à un autre. Un très gros jeune homme, avec des cheveux noirs bouclés, cherchait quelque chose dans une grande valise ; un gamin shootait dans le sable, l'air découragé. Ces deux rescapés lui étaient familiers : ils avaient occupé des fauteuils voisins du sien, dans l'avion.

Derrière lui, quelqu'un se mit à parler dans une langue qu'il ne comprenait pas. Il se retourna : un homme d'origine asiatique se tenait là, un plateau à la main, supportant quatre petites boîtes blanches.

— Je vous demande pardon ? bafouilla Dexter, décontenancé.

Il n'avait pas entendu l'homme arriver.

Ce dernier répéta son injonction d'un ton pressant, tout en désignant le plateau de sa main libre avec insistance. Dexter y regarda de plus près, et vit que chaque plat contenait une substance grise et gluante, qui ressemblait vaguement à un produit de la mer. Une odeur de poisson flotta jusqu'à lui et il fit un pas en arrière.

Une fois de plus l'homme l'enjoignit à prendre le plateau, d'une voix frustrée. Il lui désigna l'un des morceaux et fit le geste de manger.

Dexter frissonna de dégoût. Il avait faim, certes, mais pas à ce point-là. Il aurait encore préféré avaler du sable, plutôt que ces choses grisâtres et poisseuses.

Il n'avait jamais aimé les sushis. La première fois qu'il avait goûté du poisson cru, il s'était précipité aux toilettes pour vomir.

— Non, sans façon, dit-il à l'homme, en repoussant son offre d'un geste de la main. Mais merci quand même.

L'Asiatique fronça les sourcils, et fit une nouvelle tentative. Dexter se demandait comment se débarrasser de lui, quand il vit un groupe de gens, un peu plus loin, se diriger vers la jungle d'un pas décidé. Et parmi eux une jeune femme blonde et fine, portant un short et un débardeur rose.

Son cœur bondit dans sa poitrine.

— Daisy ! s'exclama-t-il.

Il se précipita vers eux, oubliant complètement l'homme aux sushis.

— Daisy, attends ! C'est moi – je suis en vie !

Bien que la tête lui tournât et qu'il risquât, à tout instant, de s'étaler dans le sable, Dexter rattrapa le petit groupe, à la lisière de la jungle. Il franchit la distance qui les séparait en quelques enjambées, saisit la jeune femme par les épaules, la fit pivoter vers lui.

— Mais qu'est-ce qui vous prend ? Lâchez-moi, espèce de malade !

La belle inconnue le fusillait du regard. Ce n'était pas Daisy. Loin de là.

— Oh ! fit Dexter, essoufflé et en sueur. Excusez-moi. Je vous ai pris pour quelqu'un d'autre.

— Si seulement…, marmonna l'un des hommes, dans le groupe.

Dexter l'observa ; il lui rappelait quelqu'un. Et tout à coup il se souvint : il s'agissait du type qui l'avait aidé à sortir de l'épave, et qui lui était d'abord apparu comme son double. Or il vit qu'ils se ressemblaient peu, finalement, hormis le fait qu'ils avaient presque le même âge, et qu'ils étaient blancs.

Dexter se sentit gêné, ne trouvant rien à dire. L'homme, pourtant, ne semblait pas se souvenir de lui. Là-dessus la blonde prit la parole.

— La ferme, Boone! cracha-t-elle. Au cas où tu ne l'aurais pas compris, sache que je ne suis pas spécialement ravie non plus de me retrouver coincée avec toi ici. Mais je prendrai mon mal en patience.

— C'est cela, Shannon, grinça Boone, en lui jetant un regard cxaspéré.

Puis il détourna les yeux.

— Ça va? s'enquit une autre jeune femme, d'un air soucieux.

Ses cheveux auburn étaient serrés en chignon derrière sa nuque.

— Vous êtes très pâle.

— Ça va, oui, répondit Dexter, en se forçant à sourire. Excusez-moi encore d'avoir pris Shannon pour Daisy.

Les rescapés repartirent en direction de la jungle, et Dexter reprit le chemin de la plage, déstabilisé. Il avait vraiment cru qu'il s'agissait de Daisy...

« Daisy ».

Un sentiment de panique le saisit, de culpabilité aussi. Comment pouvait-il l'avoir oubliée ainsi? Dormir, des heures, alors qu'elle pouvait être blessée... Ou pire.

— Eh, mec, ça va?

Dexter leva les yeux, réalisant qu'il avait marché en regardant ses pieds et failli heurter quelqu'un.

L'inconnu, un Afro-Américain d'âge moyen, le considérait d'un air inquiet.

— Excusez-moi, dit Dexter, qui ne tenait pas très bien sur ses jambes. Je ne regardais pas où j'allais. Pardonnez-moi.

— Mais je vous en prie. C'est vous qui êtes resté sans connaissance toute la nuit ? Mon fils pensait que vous étiez dans le coma. Je m'appelle Michael, au fait.

Sans doute le père du gamin qui shootait dans le sable, songea Dexter.

— Et moi Dexter. Dexter Cross. Et effectivement, je suis resté évanoui toute la nuit. Mais ça y est, j'ai repris connaissance. Et il faut que je retrouve quelqu'un – ma petite amie, Daisy.

Dexter parcourut la plage des yeux d'un bout à l'autre. La tête lui tournait ; il se sentit chavirer, faillit tomber.

— Oh là !

Michael tendit la main et le retint.

— Vous n'avez pas l'air en forme, vieux. Vous feriez peut-être mieux de vous allonger.

— Ça va aller. J'ai juste besoin de manger. Et il faut que je retrouve Daisy.

— Mais oui, il faut que vous mangiez.

Michael jeta des regards autour de lui.

— Ce grand type, Hurley. C'est lui qui se charge de nous ravitailler. Il est occupé, pour le moment. Il donne un coup de main à Jack. Mais les plateaux sont là-bas. Venez…

Michael fit diligence, et quelques minutes plus tard, Dexter dévorait un plateau-repas sans même s'inquiéter de ce qu'il avalait. Là-dessus il vida une bouteille d'eau.

Le fait de se restaurer et de s'abreuver lui éclaircit les idées. Or il ne pensait toujours qu'à une chose : retrouver Daisy.

Il se leva, scruta les groupes de survivants les uns après les autres. Sans l'apercevoir.

« Logique, songea-t-il, en grattant distraitement une piqûre de moustique, sur son bras. Si elle se trouvait parmi eux, si elle était sauve, elle m'aurait rejoint, à l'heure qu'il est. »

Deux jeunes gens passèrent devant lui, transportant des coussins récupérés sur les sièges de l'avion. Dexter s'avança vers eux.

— Eh ! lança-t-il. Où sont les blessés ? Vous savez, suite à l'accident. Je cherche quelqu'un.

L'un des hommes essuya la sueur qui lui coulait sur le front avec le dos de sa main.

— J'espère que ce n'est pas le type qui a pris un éclat de métal, dit-il. Le médecin est à son chevet – et il craint pour sa vie, apparemment.

— Tais-toi, Scott ! dit l'autre homme. Tu n'es pas obligé de l'inquiéter.

Il regarda Dexter.

— Il ne s'agit pas de ce type-là, n'est-ce pas ?

— Non. Il s'agit d'une femme, dit Dexter. De ma petite amie, Daisy. Blonde, jolie, un mètre soixante-dix.

Les deux autres haussèrent les épaules de concert.

— Je n'ai vu personne qui réponde à ce signalement parmi les blessés, dit Scott. Désolé. Mais vous pouvez toujours aller voir dans les tentes.

D'un geste, il désigna les abris de fortune aménagés au milieu des débris.

— Très bien, merci.

Dexter s'éloigna, la main en visière pour se protéger de la lumière. Il se dirigea vers le premier abri, jeta un coup d'œil à l'intérieur. Et aperçut un homme d'âge moyen, dont la jambe droite avait été sectionnée au niveau du genou.

Frissonnant d'horreur, il s'éloigna avant que l'amputé n'ait le temps d'ouvrir les yeux et de le voir. Il inspecta plusieurs autres tentes, mais la plupart étaient vides.

Alors qu'il se demandait où chercher, Dexter vit un homme émerger de la jungle, un peu plus loin. Sa figure rappelait celle d'un bon chien, et Dexter le reconnut tout de suite : c'était le type qui avait appelé Jack à son chevet, la veille au soir.

Dexter se dirigea vers lui pour le remercier de son aide. L'homme le repéra avant qu'il n'arrive à sa hauteur et le fixa d'un air peu amène.

— Eh ! Comment avez-vous fait pour ressortir aussi vite ? lança-t-il, en le rejoignant au pas de course.

Dexter le considéra sans comprendre.

— Quoi ?

— Oh ça va, fit l'homme. Si vous connaissez un raccourci pour rejoindre la plage, dites-le !

— Je… Je ne vois pas de quoi vous parlez, balbutia Dexter. Je m'appelle Dexter Cross, et je venais juste vous remercier d'avoir…

— O.K. et moi je m'appelle Arzt. Ravi de vous connaître.

Arzt le toisa d'un air suspicieux.

— Je me demande simplement ce que vous mijotez, Cross.

— Ce que je mijote ? Je ne comprends pas où vous voulez en venir.

— Oh que si ! insista Arzt. Ecoutez, je vous ai vu, là-bas, à l'orée de la jungle. Vous m'avez vu aussi – vous m'avez même fait un signe, bon Dieu ! Je sais que c'était vous. J'ai été surpris que vous soyez sur pied, et que vous vous baladiez dans la forêt, alors que vous êtes resté évanoui toute une journée.

Dexter secoua la tête.

— Désolé, mais vous devez confondre. Je ne suis pas allé dans la jungle. Je n'ai pas quitté la plage depuis que j'ai repris connaissance.

Arzt haussa les épaules, quoiqu'il ne parût pas convaincu.

— Si vous le dites.

Il jeta un coup d'œil derrière lui, regarda les arbres frissonner dans la brise.

— Je ne me suis pas trop éloigné de la plage non plus, avoua-t-il, surtout après ce qu'on a entendu hier soir, et tôt ce matin.

— A quoi faites-vous allusion ?

Dexter était impatient de reprendre ses recherches, de retrouver Daisy. Cependant il se demandait ce que Arzt avait voulu dire, et pourquoi il avait paru terrifié.

— Qu'avez-vous entendu ?

Il se désigna d'un geste.

— J'étais évanoui, vous vous souvenez ?

— Ah oui.

Arzt eut un petit sourire.

— Eh bien vous avez de la chance, parce que c'était horrible. Des bruits énormes ! On avait l'impression que des choses très lourdes tombaient par terre. Et des drôles de « Ouh, ouh »…

Arzt fit de grands gestes, comme si les mots lui manquaient pour décrire ce qu'il avait entendu.

Dexter le considéra, perplexe.

— Que voulez-vous dire ? Qui faisait ces bruits ? Des sauveteurs ?

— Je crains que non.

Arzt haussa les épaules.

— Personne ne sait de quoi il s'agit. Mais c'était terrifiant.

— Oh.

Dexter se demanda si l'homme ne fabulait pas. Et quand bien même il aurait dit vrai, retrouver Daisy primait sur le reste.

— Ecoutez, il faut que je retrouve ma petite amie. Auriez-vous vu une fille blonde, dans la jungle ? Un mètre soixante-dix environ.

— Non. C'est votre petite amie, alors. Vous êtes ensemble depuis longtemps ?

— Six mois, répondit Dexter, en regagnant le camp avec Arzt. Nous fréquentons la même université.

— Ah oui. Et qu'étudiez-vous à l'université, Cross ?

— La psychologie. J'ai commencé il y a quelques mois. Cela me passionne.

— Je comprends. C'est là une matière fascinante. Mais si vous voulez un conseil : n'allez pas enseigner. Surtout dans le secondaire.

Arzt leva les yeux au ciel.

— Vous pouvez me faire confiance. Je suis moi-même professeur. J'enseigne les sciences dans un lycée.

Dexter émit un rire poli.

— Je ne sais pas encore ce que je ferai quand j'aurai mon diplôme, avoua-t-il. Je postulerai pour devenir maître de recherches, ou je prendrai quelques mois pour voir venir. Rien ne me presse, ma famille a de l'argent...

# 4

— Ce n'est pas de ta faute si tu es né dans une famille pauvre, Dexter.

Mrs Washington, la conseillère d'orientation de l'école, une femme rondelette au regard doux, se renversa contre le dossier de son siège et croisa les mains sur ses genoux.

Elle couva le jeune homme d'un regard plein de sollicitude.

— Mais tu peux influer sur ton destin. Et c'est là que j'interviens. Il faut que nous parlions de tes projets – tes professeurs espèrent te voir entrer à l'université.

Dexter remua sur sa chaise inconfortable. La fenêtre était fermée, mais une rumeur filtrait de l'extérieur – rires, cris, bruit sourd et répété d'un ballon de basket frappant l'asphalte. Dans le petit bureau de Mrs Washington, l'atmosphère était confinée et l'air immobile. Quand ils se taisaient, on n'entendait que le tic-tac de la pendule.

— Je ne sais pas, marmonna-t-il, au bout d'un

moment. Je ne suis pas sûr de pouvoir aller à la fac. Il faudrait emprunter…

Mrs Washington sourit. Ce qui la fit ressembler à un écureuil. Un écureuil avec des lunettes.

— Je comprends tes hésitations, Dexter, mais les prêts étudiants sont faits pour les jeunes comme toi. Tu devrais obtenir une bourse facilement, vu tes résultats. Je peux t'y aider. Et quand tu auras été admis dans une université, tu pourras négocier un prêt à un taux intéressant, pour financer les dépenses excédentaires. Tu es promis à une belle réussite, Dexter, tu rembourseras cela en un rien de temps !

Le jeune homme adressa un sourire poli à Mrs Washington, qui poursuivit son laïus d'encouragements. Mais il ne l'écoutait pas vraiment. La vie lui avait appris à se montrer réaliste, à ne pas placer la barre trop haut. S'il allait à l'université, une bourse d'études et une aide financière ne couvriraient pas toutes ses dépenses. Il avait pris conscience de cela depuis des mois, et s'efforçait de s'arranger de ce dur constat. Mais la conseillère, qui l'abreuvait d'informations utiles, et se montrait pleine de bonnes intentions, ne lui facilitait pas la tâche. Il jeta un regard aux brochures colorées, éditées par le collège, qui occupaient tout un coin de son bureau, et eut une brève seconde d'espoir.

« Si seulement… »

Il chassa cette pensée de son esprit. Il ne servait à rien de se laisser aller à ce genre de rêverie. Il connaissait la vie – il n'y avait rien d'autre à faire que d'accepter son sort.

Il mit un terme à l'entretien dès qu'il le put, acceptant les brochures que lui offrait la conseillère d'orientation, afin d'avoir la paix. Dehors, le match de basket se poursuivait. Dexter passa derrière les buissons, afin que personne ne le voie. Il n'aurait pas supporté les quolibets, aujourd'hui.

Dès qu'il fut hors de vue, il souffla un peu. Il allait devoir rentrer à pied – il avait raté le bus, à cause de son rendez-vous avec Mrs Washington. Aussi priait-il pour que ses riches condisciples, qui conduisaient des BMW, des Ford Mustang et des jeeps, ne le croisent pas en chemin. La dernière fois que cela s'était produit, ils l'avaient tant et si bien raillé, et poursuivi de leur méchante assiduité, qu'il avait hérité d'un œil au beurre noir – et d'une réputation de poule mouillée, car il avait tout fait pour éviter l'affrontement.

Dexter longea le parking, puis il s'engagea dans Beale Street, qui menait dans les quartiers pauvres de la ville, où il habitait avec sa mère. Il s'arrêta à hauteur de la poubelle, au coin de la Quatrième Rue, sortit les brochures de son sac à dos et les jeta. Elles rejoignirent les vieux emballages graisseux, les canettes usagées et autres peaux de bananes que contenait le récipient. Là-dessus il traversa la rue, et rentra chez lui en traînant les pieds.

Il poussa la grille de la petite maison en location, passa par la porte de derrière, et trouva sa mère et sa tante attablées dans la cuisine, en train de jouer aux cartes. Sa mère portait une vieille robe de chambre mauve. Paula avait toujours sa minerve autour du cou, telle une énorme fraise ; elle ne l'avait pas quitté depuis sa chute, au supermarché. Dexter pensait qu'elle dramatisait les choses, mais il se gardait bien de la confronter à ce sujet. Quoi qu'il fît, ou dît, Paula continuerait à se poser en victime de la société.

Il y avait deux verres sur la table, et Dexter fut

surpris de détecter l'odeur un peu aigre de la bière. Cela ne leur ressemblait pas. Même si Paula pouvait consommer jusqu'à six canettes certains jours, la mère de Dexter buvait rarement. Elle considérait l'alcool comme un luxe, réservé aux grandes occasions, tels que mariages et enterrements.

— Ah, Dexy, mon chéri. Te voilà !

Sa mère se tourna vers lui, tout sourires. Elle avait les joues rouges, et un éclat bizarre dans le regard.

Dexter la considéra, inquiet.

— Qu'est-ce qui se passe ? marmonna-t-il.

— Tu ne devineras jamais ! roucoula tante Paula. Le supermarché a perdu le procès !

— Comment ça ?

— Le supermarché ! répéta Paula, avec impatience. Mon accident. Tu étais là, tu te souviens ?

Dexter s'en rappelait très bien. Son visage s'empourpra, comme il revoyait mentalement la scène : les ambulanciers peinant à soulever son énorme parente pour la déposer sur la civière, ses copains ricanant de concert un peu plus loin…

— Ils vont lui verser la somme qu'elle a demandée ! s'écria la mère de Dexter, tout excitée. Tu imagines ? Quoique ce ne soit pas grand-chose, pour une chaîne de magasins comme celle-là.

— Oui ! gloussa Paula. Tu te rends compte ? Assez d'argent pour vivre pendant des années, et ils ne font même pas appel !

Dexter éprouva comme un frisson de dégoût. Sa tante n'en était pas à sa première escroquerie. Elle avait glissé un cafard dans sa salade, au restaurant du coin, et obtenu réparation ; le fast-food local avait été contraint de lui verser de l'argent. Pire : elle avait attaqué l'organisateur de mariages en justice, quand son mari l'avait quittée, un mois après la cérémonie.

Mais c'était la première fois, apparemment, qu'elle obtenait des dommages et intérêts aussi importants. Dexter aurait bien aimé en connaître le montant, mais il se garda d'interroger Paula. Et de lui donner une occasion, supplémentaire, de pavoiser.

« Elle est fière de son coup, et elle va s'en vanter pendant des années », songea-t-il.

La perspective de la voir se pavaner dans le quartier, et raconter son histoire à qui voudrait l'entendre faisait horreur à Dexter. Et puis sa mère renchérirait, espérant glaner quelques miettes en retour. Cependant, l'envie que lui inspirait cet argent l'horrifiait encore plus. Il jugeait sa tante sévèrement, mais était-il plus respectable qu'elle – ou simplement trop lâche pour sortir du droit chemin ?

« Non, se dit-il. Jamais je ne ferai cela. C'est odieux, minable ! »

Dexter brûlait d'envie de leur dire son mépris. De se démarquer d'elles, et de toute sa famille. Jamais il ne suivrait leurs pas ; plutôt mourir de faim.

— Dexy, dit sa tante, l'arrachant à ses pensées. J'ai décidé de faire profiter ma famille de ma bonne fortune. De partager. Aussi vais-je offrir une nouvelle voiture à ta mère…

— Une Cadillac ! s'exclama cette dernière, en se couvrant la bouche d'une main, n'y croyant pas. Tu me vois au volant d'une Cadillac flambant neuve ? C'est trop beau pour être vrai !

— Rien n'est trop beau pour ma sœur préférée, déclara Paula, en lui adressant un grand sourire. Quant à toi, Dexy, je me demandais ce qui te ferait plaisir. J'avais pensé à une voiture…

L'offre était tentante. Il se voyait déjà arriver au lycée dans une voiture de sport. Que diraient alors tous ces gosses de riches ? Et Kristin. Que penserait Kristin Vandevere ? Quelle revanche ce serait !

Non, songea-t-il. Je ne veux pas de voiture. Qu'en ferais-je ? Je peux aller à l'école à pied. Et puis une auto entraîne des frais – réparations, essence, assurances. Quand Paula aura épuisé ses fonds, d'ici quelques mois, il faudra que je paie l'entretien, or je n'en ai pas les moyens.

Il réalisa alors que sa tante s'adressait toujours à lui.

— Puis je me suis dit : non, Dexter n'a pas vraiment envie d'une voiture. Je sais ce qui lui ferait plaisir.

Et comment pourrait-elle le savoir, songea-t-il, réprimant l'envie de lever les yeux au ciel. Elle ne me connaît pas assez pour…

— Ce qu'il veut, c'est aller à l'université, déclara Paula, sûre de son fait.

Dexter écarquilla les yeux, éberlué.

— Et je vais l'aider à réaliser son rêve. C'est à cela que sert la famille.

Dexter était quasiment en état de choc, et incapable de proférer un son.

— On est surpris, hein mon garçon ? reprit Paula, ravie. Moi, les études, je n'y crois pas trop, mais tu as l'air motivé. Alors, pourquoi pas ? Je vais te prêter l'argent, et tu me le rendras quand tu seras un riche médecin, ou un grand avocat. Marché conclu ?

Dexter la fixa, muet comme une carpe. Son premier mouvement fut de refuser. Il ne pouvait tirer profit de cet argent mal gagné – et la laisser penser qu'il approuvait sa façon d'agir.

Cependant, sa tante lui offrait le moyen de s'en sortir, qu'elle en eût conscience ou non. D'échapper à une vie terne et besogneuse. Il se voyait déjà déambuler sur le campus de quelque université prestigieuse, entouré de personnes attentives, intéressantes, et bien intentionnées. Se bâtir une existence riche et exaltante. Devenir qui il voudrait. Peut-être même Super Dexter...

Il s'aperçut que sa tante le regardait toujours, attendant sa réponse. Il s'éclaircit la voix, se força à sourire.

— Marché conclu, déclara-t-il.

## 5

— Merci, Joanna.

Dexter se retourna pour remercier la femme qui venait de vaporiser un antimoustiques sur sa nuque.

— C'est vraiment sympa, dit-il. J'ai voulu explorer la jungle, pour retrouver Daisy, et je me suis fait dévorer par ces saloperies.

— Mais je t'en prie. Bonne chance dans tes recherches !

Joanna lui sourit, compréhensive, puis remit le flacon dans sa poche.

Comme elle s'éloignait, Dexter remonta le bas de son pantalon et se dirigea vers la mer. Il se rinça les mains, qui étaient pleines de produit. L'eau lui parut fraîche. Le soleil rejoignait l'horizon, et la température extérieure semblait avoir chuté d'une dizaine de degrés. Le long de la plage, les rescapés installaient leurs abris pour la nuit – la deuxième qu'ils passaient sur l'île –, et alimentaient les feux de camp, afin de signaler leur présence à d'éventuels sauveteurs.

Alors que Dexter se séchait les mains sur son jean,

il vit Michael approcher. Il portait un gros morceau de métal, et ployait sous la charge.

— Je peux vous aider ? proposa Dexter.

Il courut vers lui et saisit l'une des extrémités du fragment.

Michael lui adressa un regard reconnaissant.

— Merci, vieux, fit-il, en se redressant, à bout de souffle. Je pensais m'en servir pour construire un abri plus solide pour Walt et moi.

— Bonne idée.

Dexter n'avait pas revu Michael depuis leur rencontre, le matin même. Cela dit, en cherchant Daisy, il avait fait la connaissance de plusieurs autres survivants. Il y avait Arzt, le professeur de sciences qui s'était occupé de lui pendant la journée où il était resté sans connaissance. Joanna, jeune femme extravertie, groupie de surfers. Hurley, un grand moustachu sympathique. George, un type tonitruant mais toujours prêt à rendre service. John Locke, qui ne parlait que par énigmes. Scott, Steve, Janelle, Faith, Larry. Et puis Jack, le médecin qui soignait les blessés et aidait à diverses tâches.

Mais Daisy restait introuvable. Personne ne l'avait aperçue. Personne ne voyait où elle pouvait être. Dexter avait tardé à s'approcher des défunts, qui gisaient encore çà et là sur la plage. Il s'était finalement décidé, pour constater, soulagé, qu'elle ne se trouvait pas parmi eux.

Quand ils eurent posé le morceau de métal sur le sable, Michael s'essuya les mains sur son pantalon, puis adressa un hochement de tête à Dexter.

— Merci encore, dit-il. Mais vous ne cherchiez pas quelqu'un, ce matin ? Vous l'avez trouvée ?

— Ma petite amie, Daisy, dit Dexter. Non, je ne

l'ai toujours pas retrouvée. J'allais justement vous demander si vous n'aviez pas croisé une belle blonde d'une vingtaine d'années. Mais pas celle qui est allée tester l'émetteur radio dans la jungle, avec le groupe de rescapés.

— En voilà une qui vient par ici.

D'un mouvement de tête, Michael désigna quelqu'un qui approchait, derrière Dexter, sortant de la jungle.

Ce dernier fit volte-face, plein d'espoir, empressé. Mais c'était une jeune femme enceinte d'au moins huit mois, qui se dirigeait vers lui, et non Daisy.

— Oh, fit-il, déçu. Ce n'est pas elle.

Il avait remarqué cette femme – elle attirait l'attention, avec son gros ventre – mais il ne lui avait jamais parlé. Elle, par contre, sembla le reconnaître, ce qui laissa Dexter pantois. Elle se hâta de le rejoindre ; son joli visage exprimait l'étonnement.

— Comment avez-vous pu regagner la plage aussi vite ? s'enquit-elle, avec un accent australien. Je vous ai vu dans la jungle, il y a dix minutes !

Dexter se rappela l'accusation de Artz. Avait-il un sosie sur l'île ? Si tel était le cas, il ne l'avait pas encore croisé.

— Non, ce n'était pas moi, dit-il à la jeune femme enceinte. Je m'appelle Dexter, au fait.

Elle lui tendit la main et sourit.

— Claire. Enchantée.

Ils échangèrent une poignée de main, mais elle continua à le fixer.

— Vous êtes sûr que ce n'était pas vous, que j'ai vu dans la jungle ? dit-elle, tout en posant une main sur son ventre protubérant. J'aurais juré que…

— Non, ce n'était pas moi, lui assura-t-il. Je suis

resté sur la plage tout l'après-midi. Vous pouvez demander autour de vous, tout le monde vous le confirmera.

— Je me porte garant de sa bonne foi, intervint Michael, avec un sourire. Pour le dernier quart d'heure, en tout cas.

La jeune femme s'esclaffa.

— C'est bon, je vous crois, dit-elle. Tous les deux. Pardonnez-moi, si j'ai paru dubitative. Mais c'est vraiment curieux…

— Effectivement, parce que vous n'êtes pas la première personne qui me dit ça.

Il lui fit part de la réaction de Artz, un peu plus tôt.

— Le professeur ? fit Michael, en levant les yeux au ciel. Il m'a paru nerveux, et un peu parano.

— Sans doute, oui, mais il reste persuadé que c'est moi qu'il a croisé dans la jungle. Il se peut que j'aie un sosie sur l'île, finalement.

— Oui. Et il passe son temps dans la jungle, semble-t-il, remarqua Michael.

Dexter se souvint à quel point il s'était senti désorienté, quand il avait repris connaissance. Il se demanda s'il restait des survivants dans ces bois, qui cherchaient toujours la plage. Dont un homme lui ressemblant… Ou peut-être Daisy.

— Je crois que je vais aller faire un tour dans cette jungle, dit-il. Si j'ai vraiment un sosie, autant que je le rencontre, non ?

— Vous voulez y aller maintenant ? s'étonna Claire. Soyez prudent.

La jeune femme le couva d'un regard inquiet.

— Il va bientôt faire nuit. On ne sait jamais ce qui…

Elle n'acheva pas sa phrase. Dexter salua Michael

et Claire, puis se dirigea vers la lisière de la forêt. Il y pénétra à l'endroit où Claire avait paru, quelques minutes plus tôt, et suivit une piste à peine marquée. Il apprécia la fraîcheur, le silence, et l'absence – relative – de moustiques. C'était un univers totalement différent de la plage, brûlante, aride, et jonchée de débris.

Alors qu'il contournait un groupe de buissons, Dexter repéra une valise cabossée et béante, coincée entre les branches d'un arbre. T-shirts, chaussettes et sous-vêtements de femme s'étaient répandus sur la végétation, au sol.

Dexter fixa ces effets pendant quelques instants. S'agissait-il des affaires de Claire, ou de Joanna, ou encore d'une femme n'ayant pas survécu au crash ?

Il s'en détourna avec un sentiment de malaise, et constata que la nuit tombait rapidement. *A fortiori* sous cette voûte de verdure. Il allait devoir rebrousser chemin d'ici peu. Mais il voulait d'abord consacrer quelques minutes à la quête de son double – sans parler de Daisy.

Car Dexter estimait n'avoir pas fait assez d'efforts pour la retrouver, et en éprouvait une certaine culpabilité. Certes, il avait interrogé diverses personnes, sur la plage. Mais à quoi cela avait-il servi ? Il savait d'avance qu'elle ne serait pas parmi eux. Si Daisy avait été là, elle aurait veillé à son chevet. Elle lui aurait donné à boire, l'aurait embrassé, réconforté d'un sourire.

Le fait d'imaginer son beau visage souriant le rasséréna, fit naître le désir en lui, et lui inspira ce sentiment d'éblouissement qu'il éprouvait toujours en sa présence. Mais l'image mentale qu'il avait d'elle ne le satisfaisait pas, comme s'il ne parvenait plus à cerner un détail, fossette ou cicatrice. Etait-ce l'effet de la déshydratation, ou bien souffrait-il d'un traumatisme crânien, que Jack n'aurait pas diagnostiqué en l'examinant ?

Soucieux, déstabilisé, Dexter poursuivit sa marche sous des arbres centenaires couverts de lianes. Un gros insecte passa juste sous son nez en travers du chemin, le faisant sursauter et stopper net. Lorsqu'il reprit sa route, il s'aperçut, le cœur battant, qu'il n'était pas seul dans cette partie de la jungle. Un jeune homme se tenait devant un énorme tronc d'arbre, quelques mètres plus loin. L'inconnu lui tournait le dos, penché en avant. Il portait un jean, des baskets, un T-shirt de la même couleur que celui de Dexter.

Ah ! songea ce dernier, à la fois soulagé et triomphant. Ceci explique la méprise. Même taille, mêmes vêtements. Pas étonnant que tout le monde nous confonde.

— Eh ! lança-t-il, curieux de voir le visage de son sosie. Excusez-moi. Vous, là-bas !

Le jeune homme se retourna… Et l'espace d'un instant, Dexter eut le sentiment de sombrer dans un trou noir : il se trouvait face à son propre visage.

Il en resta bouche bée. Son double réagit en le fixant avec fascination pendant un long moment.

Dexter le dévisagea à son tour. Les traits du jeune homme s'avéraient identiques aux siens en tout point, même si, à y mieux regarder, ses habits étaient un peu râpés, et qu'il semblait plus mince que lui. L'ombre profonde obscurcissait sa figure, et son expression restait indéchiffrable.

Là-dessus il tourna les talons et disparut sans un mot. Il s'enfonça dans la jungle inextricable et sombre. Dexter en arriva à se demander s'il n'avait pas rêvé.

Quelques minutes plus tard, il avait toujours les yeux

braqués sur le lieu de l'apparition, quand il entendit un bruit de pas derrière lui. Il se retourna, et vit Michael, accompagné de son fils, approcher au pas de course sur le chemin.

— Dexter ! s'écria Michael. Ça va, vieux ? Je vous ai entendu hurler !

Pendant plusieurs secondes, Dexter fut incapable de répondre : il avait la gorge sèche comme un vieux parchemin. Il s'efforça de saliver, afin de pouvoir parler.

— Vous avez vu ça ? coassa-t-il.

— Vu quoi ?

Michael parcourut les alentours du regard, l'air nerveux.

— On vous a attaqué ? Etait-ce... Etait-ce cette chose ?

— C'était Vincent ? s'enquit Walt, tout excité.

Il se mit à sauter sur place.

— Mon chien, un labrador. Vous l'avez vu ?

— Non, fit Dexter en secouant la tête. Je n'ai pas vu de chien, et l'on ne m'a pas attaqué. C'était ce type...

Il s'interrompit, tourna la tête vers l'endroit où s'était tenu l'autre Dexter. Michael le considéra d'un air perplexe.

— Quel type ? fit-il. Il n'y a que nous, ici.

— Il y avait cet homme, aussi, dit Dexter. Vous vous souvenez de ce qu'a dit Claire, à propos d'un type qu'elle avait croisé dans la jungle, et qui me ressemblait ? Eh bien je viens de le voir aussi. Et non seulement il me ressemble, mais c'est mon portrait tout craché ! Un double parfait. J'ai eu le sentiment de me voir dans un miroir. C'était terrifiant !

— Vraiment ? Génial ! s'exclama Walt.

Le gamin paraissait fasciné.

— Oui, génial. Ou terrifiant. Tout dépend, remarqua Michael.

Son regard allait de son fils à Dexter.

— Ecoutez, dit-il, s'adressant à ce dernier, vous êtes sûr que ça va ? Il fait encore très chaud, et quand on marche trop, on se déshydrate…

— Non, je n'hallucine pas, si c'est ce que vous pensez, dit Dexter. J'ai réellement vu cet homme – je suis sûr de moi. Il était devant ce gros arbre, là-bas.

— O.K., je vous crois, dit Michael, qui cependant semblait sceptique. Mais il fait presque nuit, il faut retourner sur la plage. Vous pourrez toujours chercher votre – votre jumeau demain.

— Vous avez raison.

Après avoir jeté un dernier coup d'œil sur le lieu de l'apparition, Dexter tourna les talons et s'apprêta à suivre ses compagnons.

— Je connais un raccourci, annonça Walt. Je l'ai découvert aujourd'hui.

Michael lança un regard réprobateur à son fils, mais finit par acquiescer d'un hochement de tête.

— Très bien, dans ce cas ouvre la voie.

Walt se fraya un chemin parmi des buissons épais.

— Par ici ! lança-t-il. Suivez-moi. Oh, attendez… Non, ce doit être par là…

Sa voix se perdit, comme il s'enfonçait dans un bosquet de bambous.

— Walt ! cria Michael. Tu es sûr de connaître ton chemin ?

Dexter pressa le pas pour rejoindre Michael.

— Peut-être devrions-nous… « Oh ! »

Son pied venait de buter sur un obstacle, et il se

sentit basculer vers l'avant. Il se rattrapa à un arbre, dont l'écorce rêche lui érafla la paume de la main.

— Ça va, mec ? s'enquit Michael, qui s'arrêta, puis se retourna.

— Oui, c'est bon. J'ai trébuché sur quelque chose, une racine, sûrement.

Dexter baissa les yeux vers le sol pour voir de quoi il s'agissait.

Et retint un cri. Car ce n'était ni une racine, ni une branche. Mais une jambe humaine, habillée de jean, le pied dans une chaussure de jogging. Le haut de la cuisse, de même que le reste du corps, disparaissait sous un buisson épais. Dexter eut alors le sentiment, parfaitement irrationnel, qu'il s'agissait de son double. Son double feignant l'évanouissement pour le piéger.

Il se ressaisit rapidement.

— Michael ! Venez voir ça.

Michael lança un regard soucieux dans la direction où avait disparu son fils, mais revint tout de même sur ses pas.

— Mais qu'est-ce que... Oh mon Dieu ! fit-il, en voyant la jambe. Mais qu'est-ce que c'est que ça ?

— A votre avis ? fit Dexter, frissonnant d'horreur. On n'avait pas encore retrouvé ce type, c'est tout.

Michael paraissait hésiter.

— Il faudrait le sortir de là. Le ramener sur la plage ou...

Il se tut en entendant quelqu'un courir vers eux. Deux secondes plus tard, Walt émergea de derrière un arbre, tout essoufflé.

— Eh ! Je vous cherchais les gars, je...

Il ouvrit de grands yeux.

— Il est mort, vous croyez ?

— Oui, répondit Michael.

Il s'éclaircit la voix.

— Oui, j'en ai peur.

— Sortons-le de là, dit Dexter, d'un ton sinistre, se souvenant qu'il était lui-même resté sans connaissance toute une journée.

— Comme cela nous serons fixés.

Michael pria Walt de s'éloigner de quelques pas. Puis les deux hommes écartèrent le feuillage, découvrant l'autre jambe. Après quoi ils se saisirent chacun d'un pied et tirèrent.

Le corps s'avéra étonnamment lourd. Un essaim de mouches jaillit de sous les buissons, comme ils l'en extirpaient. Dexter tira une dernière fois, haletant, et la figure de l'homme apparut. Il eut l'impression que son cœur s'arrêtait.

— Jason ? murmura-t-il.

C'était un garçon d'une vingtaine d'années, indubitablement mort. Ses yeux fixes étaient braqués sur le faîte des arbres, sa bouche dégageait une odeur fétide. Il avait le visage éclaboussé de sang séché, et il lui manquait une main.

— Wouah ! souffla Walt, fasciné, en se penchant vers le cadavre pour le voir de plus près.

— Oh, mon Dieu, soupira Michael, attristé.

Il se redressa, essuya ses mains sur son pantalon.

— Le pauvre garçon…

Dexter sentit son estomac se contracter, comme il contemplait le visage tuméfié, grimaçant, et pourtant atrocement familier du mort.

# 6

Dexter ressentit une vive émotion, quand le car se rangea le long du trottoir, faisant chuinter ses freins. Ils venaient de s'arrêter dans une rue bordée d'arbres, devant un bâtiment en briques couvert de lierre.

— C'est là que tu descends, mon petit, dit la femme qui était au volant.

Elle lui sourit dans son énorme rétroviseur.

— C'est l'arrêt des étudiants.

« Des étudiants. » Ces mots le faisaient frémir de plaisir. Il eut pourtant envie d'expliquer à cette quadragénaire, maigre et marquée par la vie, qu'ils avaient plus de choses en commun qu'elle n'aurait pu l'imaginer.

Sa mise, toutefois, ne le trahissait pas, plus maintenant. Il portait un pantalon noir élégant. Et puis sa valise ne contenait que des vêtements neufs, et de prix. Sa tante avait au moins eu l'intelligence de ne pas lésiner sur les tenues : tennis de marque, pull-overs en laine d'agneau, et un manteau en cachemire, très cher, et presque trop beau…

En revanche, Paula s'était montrée bornée quant au choix de l'établissement, et Dexter avait dû batailler ferme pour imposer sa volonté. Il grimaça à ce souvenir.

« Tu étudieras aussi bien dans une université d'Etat », avait-elle déclaré, à plusieurs reprises. Pourquoi tiens-tu absolument à fréquenter une faculté privée ? Ce sont des endroits snobs, et tu n'y seras pas à ta place. »

— Paula est déjà très généreuse, Dexy, intervenait alors sa mère, l'incitant à capituler d'un regard implorant. Notre faculté dispense un bon enseignement, j'en suis persuadée.

Sans doute, oui, songea-t-il. Il aurait pu s'y inscrire, et s'en contenter. C'était déjà beaucoup plus que tout ce dont il aurait pu rêver.

Mais ce n'était pas assez bien, lui soufflait son instinct. D'une part, Zach Carson et plusieurs de ses amis s'y trouveraient, et comment aurait-il pu échapper à son passé en les côtoyant quotidiennement ? Il n'aurait fait que prolonger le calvaire subi au lycée.

De plus, pourquoi ne pas viser haut, vu que l'occasion s'en présentait ? Sa tante avait largement de quoi régler les cours, et les dépenses annexes. Si elle n'employait pas son argent à cela, Paula allait investir dans un nouveau téléviseur grand écran, un sofa en cuir, ou des robes vulgaires, incrustées de fausses pierres, qu'elle achetait par dizaines au centre commercial local. Et puis qu'avait-il à perdre ? Si elle s'obstinait, et revenait sur sa décision, il redeviendrait le garçon qu'il était encore quelques semaines plus tôt.

Non, se dit-il, ce ne serait pas si facile. Il s'était déjà projeté dans l'avenir, un avenir brillant. Une autre vie l'attendait, et il n'y renoncerait pas avec autant de philosophie.

Aussi avait-il refusé tout compromis quant à la qualité de l'enseignement. Et sa ténacité avait porté ses fruits : on l'avait admis dans la plus grande université de la région. Et sa tante Paula avait accepté, quoique de mauvaise grâce, de prendre tous les frais à sa charge.

— N'oublie pas qu'il faudra me rembourser, un de ces jours, avait-elle grommelé, en signant le chèque couvrant les dépenses du premier semestre. Tu as intérêt à bien travailler, afin de pouvoir intégrer une bonne école de médecine.

L'école de médecine... Dexter n'avait pas relevé. Cette bataille-là n'était pas encore d'actualité. Pour l'heure, il se réjouissait d'avoir remporté la première manche. Il avait même réussi à convaincre les deux femmes de ne pas le conduire jusqu'à l'université, arguant du fait qu'il y avait trois heures de route.

La perspective de se retrouver coincé dans un véhicule avec elles sur un aussi long trajet le terrifiait. Pire : arriver sur le campus dans la Cadillac jaune vif de sa mère, ou la nouvelle Jeep dorée de Paula eût été l'humiliation suprême. Dexter ne se voyait pas du tout pénétrer dans ce sanctuaire de la connaissance avec ses deux parentes. Sa pauvre mère, avec ses yeux de chien battu et son indéfrisable ridicule. Et Paula, arrogante, vulgaire, paradant dans ces nouveaux habits tel un bulldozer, et faisant des remarques idiotes à propos de tout ce qu'elle croiserait en chemin.

Il remercia sa bonne étoile d'avoir pu les persuader de l'accompagner à l'arrêt du car, et d'en rester là. Puis il cessa de se torturer avec le passé, et ne songea plus qu'à l'instant présent. Il venait d'arriver dans l'une des plus prestigieuses universités des Etats-Unis. Il avait obtenu exactement ce qu'il désirait.

C'était un chaud après-midi d'août, et Dexter peina à porter tous ses sacs jusqu'au campus. Il suivit les flèches, sur les panneaux temporaires plantés de-ci, de-là, et trouva aisément son chemin. Arrivé sur le campus, il lâcha ses bagages, fit quelques flexions pour détendre les muscles de ses bras, et jeta un coup d'œil alentour.

Tout était comme il l'avait imaginé. Le campus s'étendait devant lui, sur plusieurs centaines de mètres, ses pelouses luxuriantes parsemées de massifs de fleurs, de sculptures et d'arbres séculaires à l'ombre généreuse. De chaque côté, de vénérables bâtiments de briques et de pierre rayonnant de l'aura du savoir, leurs fenêtres comme autant d'yeux bienveillants tournés vers le monde extérieur.

Et partout des groupes d'étudiants qui discutaient, riaient, jouaient au frisbee, se déplaçaient d'un pas vif. Ils avaient tous l'air extraordinairement heureux, intelligents et riches. Et tout à coup le bel optimisme de Dexter s'envola : pourquoi ces jeunes gens seraient-ils différents de Zach, Daryl, et des autres imbéciles de sa ville ? Une envie subite de tout laisser tomber le prit. Si seulement il avait pu disparaître dans une faille du trottoir avant qu'ils ne le voient…

Mais Dexter se ressaisait, se souvint qu'il « voulait » qu'on le remarque, en fait. Après tout, ces étudiants ne savaient rien de lui. Et il allait faire en sorte qu'ils le prennent pour l'un des leurs.

S'efforçant de paraître sûr de lui, Dexter se dirigea vers un garçon de son âge, assis sous un réverbère en train de lire – un document officiel, apparemment.

— Excusez-moi, dit Dexter.

Le jeune homme leva les yeux. Il avait l'allure d'un étudiant de première année, portait un short kaki, et un polo dont le prix devait dépasser le montant du loyer de la mère de Dexter. Lequel trembla sous son regard, craignant que l'inconnu ne l'insulte, et n'appelle ses amis pour les faire profiter de sa déconvenue.

Au lieu de quoi l'étudiant lui sourit.

— Salut, dit-il. Je peux t'aider ?

Dexter fut si surpris, qu'il mit une minute à retrouver sa voix.

— Euh, excusez-moi, bafouilla-t-il. Je… euh… cherchais le… le bureau des inscriptions. Il faut que je signale mon arrivée, je crois…

Il n'acheva pas sa phrase, se sentit ridicule. Le nouveau Dexter avait bonne mine.

— Pas de problème, dit l'autre garçon, semblant ne pas remarquer son désarroi.

D'un geste de la main, il lui désigna l'un des édifices imposants qui bordaient le campus.

— C'est le bâtiment en briques, de l'autre côté de la pelouse. J'en sors. Tu es en première année aussi ?

— Oui.

Dexter, qui s'était retenu de respirer sans s'en rendre compte, laissa échapper un soupir.

— Oui, je suis en première année. Et merci de m'avoir indiqué le chemin.

— Mais de rien. A bientôt !

Dexter se hâta de traverser le campus, et soudain ses bagages lui parurent légers. « Cela peut marcher ! », songea-t-il, s'autorisant pour la première fois à y croire. « Cela peut marcher ! »

Même après avoir été admis dans cette faculté, même après avoir vu Paula signer le chèque, il avait continué à douter que sa vie allait changer. Mais à présent, tout lui semblait possible.

Comme il se dirigeait vers le bâtiment en briques, prenant soin de rester à distance des autres jeunes gens, Dexter se laissa aller à une douce rêverie. Il s'imagina appartenant à un groupe d'étudiants sympathiques, comme ce garçon qu'il venait de rencontrer, travaillant à ses examens dans sa chambre, le soir, avec ses amis, passant de longues heures dans une bibliothèque recelant de vieux ouvrages reliés. Il verrait à peine le temps passer, comme il lirait, émerveillé, des chefs-d'œuvre de la littérature...

« Et l'école de médecine, alors ? »

La voix criarde de sa tante brisa net son fantasme, tel un seau d'eau glacée. Dexter tressaillit, s'efforçant de chasser la pensée de l'intruse. Sa tante et sa mère restaient convaincues qu'il profiterait de sa chance : étudier dans une grande université, pour devenir médecin, et plus précisément chirurgien, renommé, et millionnaire. Elles semblaient avoir oublié que Dexter n'aimait pas les sciences, préférant, de loin, l'histoire et l'anglais. Enfin, songea-t-il, philosophe, je m'inquiéterai de cela plus tard.

Un éclair de cheveux blonds l'arracha à ses sombres pensées. Un rire gai, délicieusement frais. Il jeta un coup d'œil dans cette direction et resta bouche bée devant l'apparition : la plus belle fille qu'il ait jamais vue !

Blonde, petite, menue, elle discutait et riait avec une amie, sur le trottoir, quoique Dexter vît à peine la deuxième jeune fille, n'ayant d'yeux que pour cette fée aux cheveux clairs et lumineux. Tout à coup, il n'y avait plus qu'elle sur le campus.

Dexter réalisa alors que son béguin pour Kristin, qui avait duré des années, n'était rien, comparativement à ce qu'il ressentait à présent. Une espèce d'euphorie l'avait saisi, lui donnant le sentiment d'être plus vivant que jamais. Il aurait voulu que ce moment dure éternellement...

Les deux jeunes filles remarquèrent sa présence et le regardèrent à leur tour avec curiosité. Dexter rougit, voulut détourner la tête mais ne put détacher son regard de la blonde beauté.

Il s'arma de courage, fit un pas en avant.

— Salut, déclara-t-il.

— Bonjour, répondit la belle inconnue, d'une voix aussi musicale que son rire. Qu'y a-t-il ?

Elle lui adressa un sourire éclatant, et il se surprit à bégayer d'émotion.

— Je... je...

— Vas-y, crache le morceau ! intervint l'autre jeune fille, une jolie brune.

Il l'ignora, ne quittant pas la blonde des yeux.

— Je cherche le bureau des inscriptions, finit-il par dire. Savez-vous où c'est ?

La blonde s'esclaffa de nouveau, mais sans aucun mépris.

— Oui, répondit-elle. C'est ici. Juste devant toi !

Là-dessus elle s'éloigna d'un pas vif, accompagnée par son amie. Dexter la suivit des yeux jusqu'à ce qu'elle eût disparu parmi les groupes d'étudiants, sur le campus. Après quoi il gravit les degrés en ciment menant à l'entrée du bâtiment, laissant ses sacs à l'extérieur, sur la pelouse. Il avait bien conscience d'afficher un sourire béat, mais pour une fois, l'opinion des autres l'indifférait. Il ne pensait plus qu'à elle, la déesse blonde.

L'atmosphère confinée et la pénombre du lieu le firent redescendre sur terre. Il reporta son attention sur la tâche présente : trouver le bureau des entrées. Il ne tarda pas à se placer à la fin d'une longue file d'attente, qui aboutissait à un grand comptoir en bois, derrière lequel des employés fixaient des écrans d'ordinateurs, le visage fermé.

Tandis qu'il patientait, Dexter laissa ses pensées s'envoler vers la jolie blonde. Passé l'euphorie de la rencontre, il était à présent en proie à l'anxiété. L'université était immense, les étudiants de première année se comptaient par milliers. Et s'il ne la retrouvait jamais ?

Il sentit la panique le gagner. Puis il se promit de la retrouver. Le nouveau Dexter n'était-il pas capable de tout ?

— Votre nom ?

— Comment ?

Dexter cilla, réalisant subitement qu'il venait d'arriver à la première place dans la file.

— Votre nom ? répéta l'employé, d'un air las.

— Oh, Dexter, répondit-il. Dexter Joseph Stubbs.

# 7

— Quand dois-tu accoucher ? demanda Dexter à Claire.

Elle leva les yeux de l'orange qu'elle était en train de peler.

— Dans un mois, répondit-elle, en repoussant une mèche de cheveux.

Le soleil la fit cligner des yeux.

— Tu dois être en proie à des sentiments contradictoires, remarqua Dexter. A la fois ravie et terrifiée.

— Oui, c'est tout à fait ça.

Elle baissa les yeux sur son orange, et parut troublée, tout à coup.

— Je ne sais plus très bien où j'en suis. Parfois j'ai envie d'accoucher le plus tôt possible, et d'en finir avec tous les inconvénients de la grossesse, le mal de dos, l'essoufflement, tout cela. Puis je culpabilise, parce que tout le monde dit que c'est génial d'être enceinte, et que je n'en profite pas. A d'autres moments, j'aimerais pouvoir repousser l'échéance indéfiniment, vu que je ne sais pas trop ce qui va se passer quand le bébé va arriver.

Elle secoua la tête, eut un petit rire triste.

— Je suis un peu dérangée, je crois. Une femme comme moi ne devrait pas avoir d'enfant.

— Pourquoi avoir de telles pensées ? lui dit Dexter, choqué.

Il aurait aimé pouvoir la tranquilliser.

— C'est normal de paniquer, quand on vit un événement comme celui-là ! Toutes les femmes perdent un peu la boule, dans ces cas-là.

— C'est vrai ? s'exclama Claire.

Un sourire illumina son visage.

— Merci, Dexter. Cela fait du bien d'entendre ça !

Ils demeurèrent silencieux pendant quelques minutes. La plage était le théâtre d'une certaine activité – qui après quelques jours, devenait déjà routinière. Claire finit de peler son orange, et la sépara en tranches. Dexter l'observait, tout en pensant à Jason. Le fait de découvrir son cadavre sous ce buisson avait été comme un déclic pour lui : la situation était réellement grave. D'autant plus qu'il ne savait toujours pas ce qui était arrivé à Daisy.

— Dexter ? Tu es là ?

Dexter cilla, vit que Claire agitait doucement un morceau d'orange devant son visage.

— Excuse-moi. Je pensais à…

— A ta découverte macabre d'hier ? dit-elle, achevant sa phrase à sa place.

Dexter lui lança un regard surpris. Incroyable, songea-t-il, comme les nouvelles vont vite, sur cette plage.

— Oui, effectivement. Ç'a été un choc, pour moi.

— Tiens.

Elle lui offrit une tranche d'orange, l'air compatissant.

— C'était quelqu'un que tu connaissais, paraît-il. Ça a dû être dur. J'espère qu'il ne s'agit pas d'un proche ?

— Non, pas vraiment.

Dexter fourra la tranche d'orange dans sa bouche et la mâcha. Le fruit avait une saveur délicieuse.

— Je ne le connaissais pas si bien que ça, dit-il, après avoir avalé la bouchée. C'était le frère de ma petite amie. Je l'ai rencontré il y a trois semaines, quand nous sommes partis en vacances en Australie, tous les trois.

— Oh.

Claire s'éclaircit la voix, parut hésiter.

— Ta petite amie. Euh... Elle était dans l'avion aussi ?

Dexter tarda à répondre. Et quand il voulut parler, quelqu'un le héla. Il leva les yeux, vit Jack se diriger vers eux à petites foulées.

— Ah, vous voilà, Dexter, dit le médecin, l'air soucieux. Je vous ai cherché partout !

Voyant que Claire était là aussi, il lui sourit.

— Ça va, ce matin ?

La jeune femme posa une main protectrice sur son ventre.

— Ça va, merci, dit-elle. Il m'a donné des coups de pied toute la nuit.

— C'est bien.

Jack reporta son attention sur Dexter. Il paraissait stressé.

— On m'a dit que vous aviez de bonnes notions de psychologie.

— Euh, pas vraiment, non, protesta le jeune homme. Je ne suis qu'en première année.

— Ça suffira, décréta Jack. Ecoutez, la plupart des gens ici vivent très mal la situation. Cela n'a rien d'étonnant, n'est-ce pas ?

Claire eut un petit rire.

— Non, effectivement, remarqua-t-elle, en plaçant son autre main sur son ventre.

— Mais j'ai trop à faire pour leur être d'une aide quelconque.

Le regard de Jack dériva vers l'infirmerie, une grande tente faite de bâches jaunes et bleues, et de débris du crash. A l'intérieur, se trouvait un homme souffrant d'une blessure au ventre. Il était sorti vivant de l'accident, mais avec un morceau de métal planté dans l'abdomen. La veille, Jack avait enlevé le fragment, puis suturé la plaie, mais aux dernières nouvelles, l'état du blessé empirait. Jack faisait le maximum, vu les circonstances. Cependant, si les secours n'arrivaient pas dans les plus brefs délais...

— Je sais, dit Dexter. Je comprends.

— Et c'est là que vous intervenez, déclara le médecin.

Du revers de la main, il essuya son front couvert de sueur.

— Si vous pouviez parler un peu avec certains d'entre eux, ce serait vraiment bien. Cela ne pourra pas leur faire de mal, de toute façon. Et qui sait, il se peut que vous les aidiez à surmonter cette épreuve.

— Je ne sais pas, répondit Dexter, en touchant sa cicatrice, sur son menton.

Il craignait que Jack n'attende trop de lui – il n'avait que des connaissances sommaires en psychologie. De plus, Dexter avait prévu de retourner dans la jungle, poursuivre ses recherches, espérant toujours retrouver Daisy.

— Tu devrais y aller, Dexter, intervint Claire. Cette petite conversation avec toi m'a fait un bien fou. Tu sais comment t'y prendre, avec les gens angoissés. Je suis sûre que tu vas devenir un grand psychanalyste.

Le compliment fit rougir Dexter.

— Merci, bredouilla-t-il.

Il hésita encore, pensant à Daisy. Mais il finit par accepter.

— D'accord. Je vais essayer de les aider.

— Formidable ! dit Jack.

— Après tout, l'altruisme est une vocation, dans ma famille, dit Dexter. Nous avons même une fondation, qui s'occupe de… de…

Il s'interrompit, troublé de ne trouver aucun exemple.

— De… s'enferra-t-il. Je… je ne m'en souviens pas, mais nous réalisons des actions d'envergure. C'est l'une des organisations de charité les plus respectées au monde. Peut-être même l'une des plus importantes – je ne sais plus…

Dexter fronça les sourcils, se demandant ce qui lui arrivait. Il avait pourtant veillé à boire beaucoup d'eau, afin de ne plus souffrir de déshydratation. Et il avait l'esprit parfaitement clair. Aussi, comment pouvait-il avoir oublié cela ?

Il secoua la tête, perplexe. Mieux valait ne pas insister. Jack ne paraissait pas vraiment intéressé par son histoire, de toute façon. Il lui remit une liste de personnes qui, selon lui, avaient besoin de son aide. Là-dessus il le remercia, puis se hâta de regagner l'infirmerie de fortune.

— Alors ta famille a une organisation de charité ? s'exclama Claire, impressionnée.

— Oui. C'est mon grand-père Cross... non, mon bisaïeul qui l'a créée, après avoir fait fortune sur le marché boursier.

Dexter s'efforça de se concentrer pour retrouver des détails, et s'inquiéta de ces trous de mémoire. Comment pourrait-il aider qui que ce soit à y voir plus clair, s'il était lui-même frappé d'amnésie ? Il eut beau chercher, la seule image qui lui revint, concernant la fondation, fut celle d'un infirmier poussant une civière.

Il secoua la tête, agacé.

— Enfin, soupira-t-il, je suis sûr que cela me reviendra. Nous sommes tous un peu perturbés, je crois.

— On le serait à moins, remarqua Claire.

La laissant terminer son petit déjeuner, Dexter longea la plage, en direction de la première personne sur la liste, une dénommée Rose. Il la trouva assise au bord de l'eau, les yeux fixés sur l'horizon.

— Bonjour ! lança-t-il, gaiement, en s'asseyant à côté d'elle. Vous vous souvenez de moi ? Nous nous sommes rencontrés hier. Je m'appelle Dexter.

La femme ne répondit pas. De la main droite, elle serrait le collier qu'elle portait autour du cou. Un vague sourire flottait sur son visage ; son regard semblait perdu dans le lointain.

Dexter tenta d'attirer son attention à plusieurs reprises, mais en vain. Rose demeura muette. Et totalement indifférente à sa présence. Il finit par s'éclipser, découragé par sa première tentative de thérapie.

Par chance, le courant passa mieux avec ses deux « patients » suivants. Il s'entretint une vingtaine de minutes avec Janelle, une jeune femme un peu nerveuse, avec qui il avait déjà parlé la veille, et quand ils se séparèrent, Dexter eut le sentiment d'avoir contribué à lui remonter le moral. Il eut ensuite une conversation – plus brève – avec Artz, lequel, quoique grincheux et souffrant de coups de soleil, lui parut s'accommoder plutôt bien de la situation, contrairement à ce qu'en pensait Jack.

Puis ce fut le tour d'Hurley, le garçon chargé de distribuer à manger et à boire aux rescapés. Il avait également servi d'infirmier à Jack, ces dernières vingt-quatre heures, et passé beaucoup de temps sous la tente, avec le blessé.

Dexter le trouva en train de chercher quelque chose dans une valise, à l'ombre, sous l'aile de l'avion.

— Salut, dit-il. Comment ça va?

— Tu sais, vieux, fit Hurley, le visage congestionné, les gens emportent de drôles de trucs, dans leurs valises.

Dexter sourit.

— Vraiment?

— Oui.

D'un coup de tête, Hurley chassa les boucles brunes qui lui tombaient dans les yeux.

— J'ai passé tous ces bagages en revue, dans l'espoir d'y trouver des médicaments, et devine sur quoi je suis tombé?

— Tu cherches des remèdes pour le blessé? s'enquit Dexter, en désignant la tente d'un mouvement de tête.

— Oui.

Hurley haussa les épaules, puis ajouta:

— Non pas que cela puisse servir à grand-chose…

Dexter préféra ne pas relever. Il jeta un coup d'œil dans la valise béante.

— Et tu trouves de quoi le soigner?

— Non, pas vraiment. Jack voulait des antibiotiques, mais il n'y en a quasiment pas. J'ai tout fouillé, pourtant.

D'un geste de la main, il désigna les bagages empilés un peu plus loin. Là-dessus, il jeta un bref regard derrière lui, et précisa :

— Enfin, presque tout.

Dexter se retourna et vit qu'il fixait le fuselage.

— Tu es allé voir à l'intérieur ?

Hurley acquiesça d'un hochement de tête.

— Ah vieux, c'est affreux. Je n'ai trouvé que des morts.

Dexter frémit, horrifié, à la pensée de ces victimes encore prisonnières de l'épave. Après quelques jours sous un soleil de plomb...

— Je comprends, dit-il à Hurley.

Il chassa une image terrifiante : Daisy sanglée dans l'avion accidenté, des mouches tournant autour de ses yeux bleus et fixes.

— Cela a dû être une épreuve.

Il changea aussitôt de sujet. Les deux hommes parlèrent des équipes de secours, conjecturant sur leur retard, tandis que Dexter aidait Hurley à chercher des médicaments dans les quelques sacs restants. Ce dernier ne cessait de lancer des regards affolés en direction du fuselage.

« Il faudrait que j'aille voir si Daisy est à l'intérieur », songea Dexter. Puis une pensée – parfaitement irrationnelle – lui traversa l'esprit.

« Et si elle n'y est pas ? »

Dans ce cas, où pourrait-elle être ? lui rétorqua sa raison. Mais le jeune homme ne pouvait se résoudre à imaginer Daisy en train de pourrir dans un four géant échoué sur le sable.

De nouveau, la voix de la raison lui souffla, calme, froide, logique : « Elle n'est pas sur la plage, ni dans la jungle. Où pourrait-elle se trouver, sinon dans l'avion ? »

— Ça va, vieux ? Tu n'as pas l'air bien.

Dexter réalisa que Hurley le regardait bizarrement, et se força à sourire.

— Ça va, dit-il, d'un ton rassurant. Mais je crois que je ferais mieux de me mettre à l'ombre.

Hurley le couva d'un regard compatissant.

— Bonne idée, dit-il, épongeant son front couvert de sueur avec un short qu'il venait de sortir d'une valise.

— Ça cogne sérieux, ici.

Dexter le salua, puis se hâta de gagner la lisière de la forêt. Loin du nez incliné de l'avion… Il savait pourtant qu'il ne trouverait de repos qu'après avoir visité l'épave. Mais il ne pouvait s'y résoudre, se sentant incapable de pénétrer dans ce tombeau collectif. Peut-être Hurley l'avait-il découragé, qui paraissait traumatisé par ce qu'il avait vu. Ou peut-être se sentait-il incapable d'affronter l'odeur, les mouches, l'horreur…

« Il faut que j'aille voir, se sermonna-t-il. Il faut que je sache si elle est là-dedans. »

Il tenta si fort de s'en persuader, qu'il faillit heurter Jack, qui venait vers lui à grands pas.

— Excusez-moi, bafouilla Dexter.

— Comment ça se passe ? s'enquit le médecin. Il y a quelqu'un d'autre que j'aimerais que vous voyiez. Scott. Il s'est perdu dans la jungle, et depuis il ne tourne pas rond. Vous voulez bien lui parler ?

— Bien sûr, dit Dexter, prêt à tout pour se distraire de sa lâcheté. Allons-y tout de suite !

Il suivit Jack à la hâte, tout en éprouvant un vague sentiment de culpabilité.

# 8

Dexter regarda l'emploi du temps qu'il avait dans la main, puis la feuille de papier scotchée près de la porte de la classe : « Intro à la littérature anglaise », lisait-on.

Le jeune homme imagina la réaction de sa tante, si elle apprenait qu'il suivait ce genre de cours. « Tu gâches mon argent, et tu perds ton temps, avec de pareilles sottises », lui cracherait-elle, avec mépris. « Sers-toi plutôt de ton cerveau pour étudier une matière utile. Quand tu seras un riche médecin, tu pourras t'offrir tous les livres que tu veux ! »

Dexter grimaça à cette pensée. Il s'était inscrit à toute une série de cours « utiles » pour satisfaire sa tante : chimie, biologie, économie, espagnol. Cela dit, la préparation à l'école de médecine comprenait également des matières littéraires. Aussi, pourquoi ne pas choisir un cours qui avait toutes les chances de le passionner, même si, à terme, il devait n'en tirer aucun avantage matériel ? Au lycée, il avait toujours adoré l'anglais, et dévoré avec bonheur les ouvrages que les professeurs donnaient à lire, contrairement à ses camarades.

« De toute manière, Super Dexter ne va pas laisser deux vieilles femmes aigries lui dicter sa conduite, se dit-il. Super Dexter doit cultiver son esprit, et il s'y emploiera, coûte que coûte ! »

Le couloir grouillait de monde et Dexter se réjouit que personne ne puisse lire dans ses pensées. Il passa la tête dans la classe, jeta un coup d'œil à l'intérieur. Le professeur n'était pas encore arrivé, mais quelques étudiants avaient déjà pris place derrière les vieux bureaux en bois. D'autres discutaient par groupes dans le couloir.

— Eh, Dex ! cria une voix familière. Comment ça va ?

Dexter recula d'un pas et regarda dans le couloir. Et vit arriver Lance, qui occupait la chambre située face à la sienne, dans la résidence universitaire. Lance était lui-même en première année. L'université l'avait recruté pour jouer dans l'équipe de basket. Il était sympathique, intelligent, et Dexter avait tendance à se sentir intimidé en sa présence. Cependant, il luttait pied à pied contre ce complexe d'infériorité – et avec succès, semblait-il.

— Eh, mec, dit-il. Quoi de neuf ?

Le basketteur s'approcha de sa démarche sautillante, claqua sa paume contre celle de Dexter de manière amicale.

— J'essaye de survivre à cette première semaine. Les profs sont durs, ici. J'ai déjà un devoir à rendre et huit chapitres à lire, et je n'ai assisté qu'à un seul cours !

Dexter ricana.

— C'est terrible, oui. La prof de chimie veut notre

mort. Et à mon avis, je vais ressortir de ce cours-ci avec des tonnes de choses à lire.

D'un mouvement du pouce, il désigna la feuille de papier scotchée à l'entrée de la salle.

— Tu t'es inscrit en littérature ?

— Oh, non, mec ! fit Lance, en secouant la tête. J'ai fait assez de littérature au lycée pour ma vie entière. J'ai choisi psycho, en matière littéraire. C'est bien plus facile.

— Cela semble être une bonne idée, oui, dit Dexter. Mais il vaut mieux que j'y aille, maintenant. A plus tard !

— Tu peux passer chez moi avant le dîner, si tu veux. On ira au réfectoire ensemble.

Le basketteur mima un salut militaire, puis tourna les talons.

— Ne pense pas trop, vieux ! lança-t-il, sans se retourner.

— A ce soir, lui dit Dexter.

Qui se sentit pousser des ailes. Un type comme Lance lui offrait son amitié ! Il ne devait donc pas être si minable que cela, finalement. Sa tante Paula et ses anciens condisciples l'auraient-ils mal jugé ?

Dexter chercha une place libre des yeux. Il allait s'asseoir au fond de la salle, quand il jeta un coup d'œil vers la chaire. Et retint un cri de joie. La jolie blonde rencontrée le jour de son arrivée se trouvait au premier rang ! Elle avait la tête penchée sur des documents, mais il l'aurait reconnue entre mille. Dexter avait espéré la revoir à chaque instant, depuis leur rencontre, et voilà qu'il la retrouvait...

Il avait la bouche sèche, tout à coup. C'était le moment où jamais. Allait-il saisir sa chance ?

Super Dexter n'hésiterait pas, se dit-il.

Ce qui lui donna du courage. Il prit une grande inspiration, puis se glissa sur le siège, à côté de celui de la jeune fille.

Elle leva les yeux vers lui. Il lui sourit.

— Eh ! fit-il, feignant la surprise. Comme on se retrouve !

La jeune femme le considéra tout d'abord avec une certaine perplexité, puis elle le reconnut, et lui sourit.

— Mais, oui ! dit-elle. L'homme qui ne trouvait pas le bureau des inscriptions.

Elle avait un ton léger, et il enchaîna dans le même registre.

— Lui-même, fit-il. Si j'avais fait un pas de plus, je me serais cogné dans la porte.

Elle gloussa de manière charmante, lui tendit la main.

— Daisy, dit-elle. Daisy Ward.

— Dexter Stubbs, déclara-t-il, en serrant sa main fine dans la sienne.

Sa peau était chaude et douce, et il ne lâcha sa main qu'à regret.

— Tu es en première année ? demanda-t-il.

— Oui. J'ai pris la littérature comme matière principale. Du moins pour le moment. Mon père prétend que cela ne durera pas, et que je changerai d'avis plusieurs fois, avant de passer mon diplôme.

Elle eut un de ses petits rires charmants.

— Il espère secrètement me voir étudier l'économie, comme lui. Il a fait ses études ici, il y a des millions d'années. Et toi, quel est ton choix ?

— Je n'ai pas encore décidé, répondit-il. Je pense

également prendre la littérature comme matière principale.

Ce qui était totalement irréaliste – du moins tant qu'il dépendrait financièrement de Paula.

Dexter occulta ces sombres pensées, et accorda toute son attention à Daisy, qui évoquait ses auteurs préférés, les cours qu'elle avait suivis au lycée. Et bientôt ils parlèrent littérature comme s'ils se connaissaient depuis des années. Le jeune homme, qui avait attendu ce cours avec impatience toute la journée, fut presque déçu de voir le professeur arriver.

A la fin de la classe, Dexter songea qu'il lui fallait trouver quelque chose de brillant à dire, ou de spirituel, s'il voulait retenir Daisy quelques minutes de plus. Il ne savait presque rien d'elle, et ne supportait pas l'idée d'attendre le prochain cours de littérature, deux jours plus tard, pour en apprendre davantage.

A sa grande surprise, ce fut elle qui prit l'initiative, quand le professeur fut sorti.

— Alors, qu'as-tu pensé de ce cours, Dexter Stubbs ? demanda-t-elle. Tu vas continuer ?

— Et toi ? s'enquit-il, s'efforçant de paraître désinvolte.

Et si elle laissait tomber, et s'il n'allait jamais la revoir ? Un sentiment de panique l'envahit.

Daisy entreprit de rassembler ses notes, puis les glissa sous son bras.

— Oui, je vais continuer, déclara-t-elle. Tu es coincé avec moi pour un semestre entier, au moins. J'espère que cela ne t'ennuie pas ?

— Mais pas du tout, bredouilla-t-il, euphorique à l'idée que la fille la plus belle, la plus étonnante qu'il ait jamais rencontrée flirtait avec lui !

Elle sourit.

— Tant mieux. Et là, où tu vas ?

Avant qu'il n'eut le temps de réaliser ce qui se passait, ils remontaient l'allée du campus en direction de la cafétéria.

— Alors ton père a fait ses études ici ? dit-il. C'est cool.

Elle haussa les épaules.

— Pas tant que ça, en fait.

— Pourquoi ?

— Parce que si tes parents, ou tes grands-parents ont étudié dans cette université, cela te donne de meilleures chances d'y entrer, et les autres parlent de favoritisme. Certains vont jusqu'à dire qu'on est obligé de t'accepter. Ce qui n'est pas réellement vrai.

Elle leva les yeux au ciel.

— Mais vu que mon père a son nom à l'entrée de la bibliothèque spécialisée dans les ouvrages d'économie, il m'est difficile de convaincre certaines personnes, ici, qu'on m'a admise sur mes seuls mérites.

— Vraiment ?

Dexter lui lança un bref regard, ne sachant pas si elle plaisantait ou non.

Mais elle avait une expression sérieuse.

— Oui. Il a fait un don à l'université, il y a quelques années, pour rénover entièrement cette bibliothèque.

Daisy secoua la tête, ce qui fit danser quelques mèches blondes devant ses yeux.

— Mais assez parlé de moi. Et toi, Dexter ? Est-ce que l'un de tes parents a fait ses études ici, ou financé la construction d'un bâtiment ?

Il hésita. Elle s'était montrée si franche avec lui… Or il s'apprêtait à lui mentir. Mais que pouvait-il faire d'autre ? S'il lui avouait qu'il était démuni, cette jeune fille riche, belle, distinguée, ne s'afficherait plus avec lui. Et puis, si la chose s'ébruitait, c'en serait fini de Super Dexter. Il ne serait plus qu'un étudiant pauvre, un boursier, tel ce garçon, dans sa résidence, qui faisait trois boulots différents pour payer ses cours.

— Non, finit-il par dire, en shootant distraitement dans un caillou, sur le chemin. Mes parents sont allés tous les deux à Princeton. Ils ont failli me déshériter, quand je leur ai dit que je voulais faire mes études ici.

Il eut un petit rire, qui lui parut étonnamment naturel.

— Non, en fait, je blague. Ils n'ont rien dit.

— Que font-ils ? s'enquit Daisy. Et où habitent-ils ?

— Ils sont avocats tous les deux. A New York.

Dexter éprouva un léger malaise, en proférant ce dernier mensonge. Comment allait-il s'en tirer ? Il n'avait jamais mis les pieds à New York.

— Mais j'ai fait toute ma scolarité en pension, s'empressa-t-il d'ajouter. Aussi peut-on considérer que j'ai été élevé dans le Connecticut.

Daisy ayant mentionné que sa famille vivait en Virginie, le Connecticut lui semblait représenter un risque mineur.

— Vraiment ? Quelle école ? demanda-t-elle, très intéressée.

Dexter commençait à paniquer quand elle ajouta :

— Choate ? Hotchkiss ?

— Oui, bredouilla-t-il, soulagé. Euh, la deuxième, je veux dire. Hotchkiss.

— Oh. J'ai des tas d'amis qui sortent de Choate, mais je ne connais qu'une seule personne qui soit allée à Hotchkiss. Un garçon, il a travaillé pour mon père. Mais il a bien quatre ou cinq ans de plus que toi. Jackson Halloway. Son nom ne te dira probablement rien.

Dexter secoua la tête.

— Non, effectivement, je n'ai jamais entendu parler de lui, déclara-t-il, sans mentir, pour une fois.

Daisy lui posa encore quelques questions personnelles, et Dexter réussit à répondre sans cafouiller. Il mentait avec une facilité déconcertante – et elle croyait tout ce qu'il disait.

Parce que la plupart des gens sont naïfs, aurait dit sa tante. Mais Dexter voyait les choses différemment. Cette personnalité d'emprunt lui allait comme un gant parce qu'il était destiné à devenir Super Dexter. Du moins se plut-il à l'imaginer.

Il eut un petit sourire satisfait, tout en tenant la porte de la cafétéria à Daisy. Oui, décidément, il aimait bien cette théorie.

# 9

Dexter était assis sur un fragment du fuselage, et discutait avec Scott et Steve, son copain, quand quelqu'un cria, depuis la lisière de la jungle :

— Ils reviennent !

L'homme, que Dexter ne connaissait pas, faisait de grands gestes des bras.

— Regardez, les voilà !

— Ceux qui sont partis avec l'émetteur, précisa Steve.

Scott se leva pour mieux voir.

— Le monstre qui rôde dans les bois n'a donc pas eu leur peau, remarqua-t-il.

Il jeta un coup d'œil à Dexter.

— On se demandait combien d'entre eux allaient revenir entiers. Steve voulait prendre les paris.

Alentour, on entendait comme une rumeur. Les rescapés se hâtaient de rejoindre la jungle, murmurant entre eux. A quelque distance venait Hurley, les bras chargés de bouteilles d'eau minérale.

— Eh les mecs ! lança-t-il. Pourquoi toute cette agitation, que se passe-t-il ?

— Le groupe parti avec la radio est de retour, lui répondit Scott. Tu sais bien, Sayid, Kate, et les autres. Quelqu'un vient de les voir.

— C'est incroyable ! s'exclama Hurley, en fixant la forêt. Quand je ne les ai pas vus revenir, hier soir, j'ai pensé qu'on ne les reverrait pas.

— Moi aussi, avoua Steve.

Dexter se leva et garda les yeux braqués sur l'orée du bois. Quelques instants plus tard, six personnes en émergèrent, dont la blonde qu'il avait confondue avec Daisy, une femme aux cheveux auburn, le jeune type nommé Boone, et trois autres hommes. Ils ruisselaient de sueur, paraissaient fatigués, mais sinon, ils semblaient bien se porter.

Hurley ouvrit de grands yeux.

— Woah ! fit-il. Alors c'est vrai. Ils sont là. Il faut prévenir Jack !

Il laissa tomber ses bouteilles dans le sable, et détala en direction de l'infirmerie. Steve et Scott se hâtèrent de rejoindre la petite foule de rescapés à la lisière de la forêt. Dexter les suivit, tout en tripotant sa cicatrice d'un air distrait. Plusieurs personnes lui avaient parlé du groupe parti dans les montagnes, dans l'espoir de contacter des sauveteurs ; cela au moyen de l'émetteur-récepteur retrouvé dans les débris de l'avion. Dexter avait compris qu'il s'agissait des rescapés qu'il avait interceptés la veille, après avoir repris connaissance. Il observa la blonde – celle qu'un homme avait appelée Shannon – encore gêné de lui avoir sauté dessus par erreur. La voyant de plus près, il constata qu'elle ressemblait beaucoup à Daisy, quoiqu'elle eût quelques années de plus.

— Votre attention, s'il vous plaît ! cria l'homme qui se trouvait en tête du groupe, un bel Arabe d'une trentaine d'années.

Il parcourut la foule du regard.

— Nous allons vous raconter notre aventure. Mettons-nous là-bas, afin que tout le monde entende.

D'un geste de la main, il désigna une zone dégagée, à l'orée de la jungle. La plupart des rescapés lui emboîtèrent le pas. Shannon jeta un regard appuyé à Dexter, en passant à sa hauteur.

— Mais c'est le type qui m'a agressée hier, fit-elle, en s'arrêtant devant lui.

Dexter eut un sourire d'excuse.

— Oui, c'est bien moi. Désolé.

Le jeune homme aux cheveux bruns, Boone, s'arrêta aussi. Son regard alla de Shannon à Dexter.

— Ne tourmente pas ce pauvre garçon, simplement parce que tu es de mauvaise humeur, Shannon, lança-t-il.

Elle leva les yeux au ciel.

— Tu as perdu ton sens de l'humour, ou quoi ? grinça-t-elle, agacée. Je plaisantais !

Elle reporta son attention sur Dexter.

— Vous l'aviez compris, n'est-ce pas ? lui dit-elle, avec un petit sourire charmant.

— Oui, bien sûr, fit-il, en haussant les épaules. A propos, je m'appelle Dexter. Et je m'excuse encore de vous avoir sauté dessus comme ça. Je vous ai prise pour ma petite amie.

— Ah oui ? s'exclama Shannon, d'un ton espiègle. On me l'a déjà faite, celle-là !

73

Dexter rougit.

— Ce n'est pas ça, protesta-t-il. Vous ressemblez vraiment à Daisy, ma petite amie.

— Ne la prenez pas trop au sérieux, intervint Boone. Ma sœur adore provoquer les hommes.

— Votre sœur ? s'exclama Dexter, surpris.

Il avait pensé qu'il s'agissait d'un couple. Mais vu la façon dont ils se chamaillaient, il paraissait logique qu'ils fussent frère et sœur, en fait.

— Eh oui, vieux, fit Boone. Je ne suis pas gâté.

Shannon lui donna une petite claque sur le bras.

— Allons-y, maintenant, dit-il. Sayid va faire son speech.

Dexter les suivit, comme ils se hâtaient de rejoindre les survivants réunis autour du grand Arabe. Bien que l'ambiance fût tendue entre le frère et la sœur, Dexter les aimait bien l'un et l'autre. Parce que Shannon était le portrait craché de Daisy, et que Boone lui rappelait ses camarades d'université ? Peut-être. Mais, quoi qu'il en soit, Dexter se réjouissait d'avoir sympathisé avec eux.

Il vit que Sayid avait déjà commencé son laïus, et pressa le pas. Des rescapés couraient, venant de toutes les directions, pour rejoindre le groupe rentré d'expédition.

— Comme vous le savez, déclara Sayid, nous sommes allés dans les montagnes, pour essayer d'établir un contact avec les sauveteurs. Mais notre émetteur-récepteur radio n'a capté aucun signal. Et nous n'avons pu envoyer de message de détresse.

Un murmure déçu parcourut la foule. Dexter se sentit lui-même découragé – il n'avait pas douté que les rescapés réussiraient à envoyer un appel au secours.

— Mais nous n'avons pas renoncé pour autant, poursuivit Sayid. Si nous réunissons tout le matériel électronique – téléphones cellulaires, ordinateurs portables – nous donnerons une portée plus grande au signal, et nous pourrons réessayer.

Tout le monde l'écoutait attentivement.

— Mais cela risque de prendre un certain temps, poursuivit-il. Aussi faut-il commencer à rationner la nourriture. Et étendre des bâches, afin de récupérer l'eau de pluie. Il faut constituer trois groupes. Et désigner un chef pour chacun. Un groupe pour l'eau – j'organiserai cela. Qui veut se charger de rassembler le matéricl élcctronique ?...

Sayid continua à parler de rationnement, de la nécessité de construire des abris plus solides, mais Dexter ne l'écoutait plus. Le début de son discours avait suffi à l'édifier. Rationner la nourriture ? Récupérer l'eau de pluie ? Leur situation était plus grave qu'il n'avait voulu se l'avouer. Jusqu'à présent, il avait eu le sentiment de vivre une expérience vaguement déplaisante, sans plus, comme s'il se trouvait catapulté dans un camp de vacances pour adultes. Mais il se voyait subitement confronté à la réalité : les sauveteurs qu'ils appelaient de tous leurs vœux tardaient à se montrer, et l'on ne pouvait dire ce que les rescapés du crash allaient devenir.

Et puis Daisy avait disparu.

Alors que Sayid continuait à parler, Dexter jeta un regard au fuselage. Qui paraissait sinistre, même en plein soleil, comme si l'âme des morts, toujours prisonniers du métal, rôdait autour de l'épave.

« Il faut que j'aille voir, se dit-il. Il faut que je sache si Daisy est là-dedans. »

Il frémit d'horreur, comme des images défilaient

dans son esprit. Le corps inerte de Daisy, sanglé sur le siège en peluche bleue de l'avion. Un silence de mort alentour, aucun mouvement. Et soudain une silhouette se penche vers elle, un homme, qui a exactement les mêmes traits que lui…

Dexter se frotta les yeux, chassant ces visions d'enfer. Que lui arrivait-il ? D'abord cette apparition dans la jungle, son sosie, et maintenant ces hallucinations à propos de Daisy…

— Eh, Lester !

Dexter sursauta, et vit que George, un type d'une cinquantaine d'années se tenait devant lui. Sayid avait achevé son discours, et les rescapés se divisaient en plusieurs groupes.

— C'est Dexter, dit-il.

— Excuse-moi, Dexter.

George eut un sourire penaud.

— Sayid a besoin de quelques hommes de plus pour récupérer l'eau. Tu en es ?

— Mais bien sûr !

Dexter se sentit soulagé d'avoir une tâche concrète à accomplir, qui pourrait le distraire de ses sombres pensées.

— Allons-y, dit-il.

Il y avait du vent, et il fut difficile de manier les bâches, qui se gonflaient et se retournaient à tout instant. Les hommes ne tardèrent pas à transpirer, et Dexter dut s'interrompre pour boire à plusieurs reprises.

— Eh mec ! lança Hurley, en le voyant terminer sa deuxième bouteille d'eau minérale. Gardes-en un peu pour nous, O.K. ?

Dexter éprouva aussitôt un sentiment de culpabilité.

Il allait s'excuser, quand Arzt, qui fixait une bâche sur le sable, non loin de là, prit sa défense.

— Fiche-lui la paix, dit le professeur de sciences à Hurley. Il est resté sans connaissance toute une journée, parce qu'il était gravement déshydraté. Alors laisse tomber, à moins que tu ne veuilles qu'il s'évanouisse à nouveau.

— Oh, fit Hurley, contrit.

Il adressa un sourire gêné à Dexter.

— Excuse-moi, mec. J'avais oublié. Bois tout ton soûl.

Mais comme il s'éloignait, Dexter l'entendit ajouter, dans un murmure :

— J'espère seulement qu'il va bientôt pleuvoir.

Hurley ne tarda pas à être exaucé. Les rescapés venaient à peine de finir d'installer les bâches, qu'une espèce de mini déluge s'abattit sur eux.

Dexter se glissa aussitôt sous un fragment du fuselage qui formait un auvent. Sur la plage, les gens couraient en tous sens, cherchant un abri.

Dexter aperçut Boone et Shannon un peu plus loin, égarés sous la pluie.

— Eh, Boone, Shannon ! cria-t-il, en leur faisant de grands signes. Venez, il y a de la place !

Boone le repéra le premier et désigna l'endroit à sa sœur. Puis ils coururent jusqu'à l'abri de fortune, baissant la tête, comme des trombes d'eau leur dégringolaient dessus. Quelques instants plus tard, ils s'engouffrèrent dans le refuge de Dexter, dégoulinants, à bout de souffle.

— Merci, mec ! dit Boone, en donnant une claque humide dans le dos de Dexter. Cela nous est tombé dessus sans prévenir.

— Oui, dit Dexter, en contemplant la plage ravagée par le déluge.

Il pleuvait si fort, qu'on ne voyait pas à deux mètres.

— Mais au moins on a eu le temps de fixer les bâches, remarqua Dexter. On devrait recueillir pas mal d'eau, je crois.

— Oui, tu as raison. C'est une bonne chose, finalement, acquiesça Boone.

Ce dernier se trouvant dans un autre groupe que Dexter, et Shannon dans un troisième, ils échangèrent des nouvelles, le temps que l'orage s'apaise, dix minutes plus tard. Les sauveteurs risquaient de ne pas arriver aussi vite qu'ils l'avaient pensé au départ, et le ravitaillement devenait la préoccupation majeure des survivants.

— Par chance, la jungle regorge de fruits, apparemment, dit Boone. Et puis ce Coréen faisait circuler du poisson cru, hier, alors c'est déjà ça.

Shannon fronça le nez.

— Cela vient de la mer, et c'est comestible, j'en conviens, mais ce n'est pas exactement le sushi bar de Matsuhisa.

— On ne peut pas se permettre de faire les difficiles, je crois, remarqua Boone.

— Oh, arrête ! Ne me dis que tu ne rêves pas de dévorer un gros steak, dans ce nouveau restaurant que tu aimes tant.

Shannon considéra son frère, l'œil brillant de malice.

— Imagine. Une belle côte de bœuf saignante…

— Tu veux ma mort ! geignit Boone.

Il se tourna vers Dexter.

— Elle veut parler de Carnivore. Si tu es venu à L.A. l'année dernière, tu dois en avoir entendu parler.

— Je suis allé à L.A. des dizaines de fois, lui assura Dexter.

Il se tut, cherchant à se souvenir de l'endroit.

— Carnivore, dis-tu ? En fait, je… je ne pense pas avoir entendu parler de ce restaurant-là.

— Vraiment ? s'étonna Shannon. Tu es végétarien, ou quoi ? Je n'arrive pas à croire que tu n'y sois pas allé au moins une fois. Tout le monde connaît ce restaurant !

Dexter haussa les épaules.

— Oui, dit-il, en fouillant toujours sa mémoire. J'entends bien. Et moi aussi, je dois le connaître. Mais je n'en ai aucun souvenir. C'est un peu comme si toute une partie de mon cerveau ne répondait plus.

— Ne te prends pas la tête avec ça, Dex, intervint Boone.

Il appuya son dos contre la paroi métallique, tordit sa chemise trempée.

— Nous avons tous le cerveau ramolli, mec. Rien d'étonnant, après ce qui nous est arrivé.

— C'est sûr.

Dexter sourit, se sentant tout de suite mieux.

— Mais à propos de restaurants, Daisy et moi sommes allés dans un endroit incroyable, à Sydney…

Ils continuèrent à bavarder, comme la pluie martelait le sable. En dépit de leurs fréquentes prises de bec, Boone et Shannon se révélèrent intelligents, intéressants, et de bonne compagnie. Ayant trouvé des complices, qui parlaient son langage et comprenaient ses plaisanteries, Dexter se sentit un peu moins seul dans cet univers étranger et effrayant.

## 10

Quelques semaines seulement après son arrivée à l'université, Dexter avait trouvé ses repères : il se sentait membre à part entière de cette communauté d'étudiants, dont il avait adopté le langage, les tics, le comportement. Pourtant, il lui arrivait de perdre son assurance toute neuve. Comme en ce samedi matin, où Hunter le héla, dans le couloir de la résidence universitaire ; Dexter rentrait de la bibliothèque.

— Eh, Stubbs ! lança Hunter, qui était l'un de ses voisins. Je t'ai cherché partout, mec. Tu veux voir ma nouvelle caisse ? Cadeau d'anniversaire de mon cher père. On l'a garée sous ma fenêtre ce matin !

— J'en serais ravi, répondit Dexter, en souriant.

Il ne put toutefois s'empêcher d'envier Hunter, issu d'un milieu privilégié – comme tous leurs camarades, d'ailleurs. Réalité qui lui revenait parfois en pleine figure, et toujours de manière impromptue. Mais tant que les autres n'en avaient pas conscience…

— Mais tu me la montreras une autre fois. J'ai rendez-vous avez Daisy dans cinq minutes.

— Pas de problème, mec.

Hunter eut une expression suggestive.

— Ce n'est pas le genre de fille qu'on fait attendre.

Dexter sourit, si fier qu'il cessa d'envier Hunter. Pourquoi rêver d'une Mercedes, ou d'une BMW, quand on avait Daisy ?

— Tu as raison, mec. A plus tard !

Dexter grimpa l'escalier quatre à quatre, fonça jusqu'à sa chambre, lâcha ses livres sur son lit. Ce faisant, il vit que la lumière rouge clignotait sur le répondeur. Encore un coup de fil de Maman ou de tante Paula, songea-t-il, agacé. Elles ne cessaient de lui laisser des messages. Et il allait devoir les rappeler, à un moment ou à un autre. Mais pas aujourd'hui. Son ancienne vie empiéterait sur la nouvelle bien assez tôt...

Ignorant le répondeur, il sortit de la chambre en coup de vent, remonta le couloir en courant, et descendit par l'escalier pour gagner du temps. Parfois, il lui semblait vivre un rêve ; le réveil allait sonner, et il allait se retrouver dans sa chambre d'antan, chez sa mère.

« Ta vraie place, mon garçon. » La voix de Paula, grinçante, mauvaise, résonna dans sa tête avec force, comme si sa tante s'était trouvée dans l'escalier, devant lui.

Dexter secoua la tête, tel un cheval chassant une mouche. Plus le temps passait, plus il réalisait à quel point sa tante s'était mal conduite avec lui, et cela depuis toujours. Non seulement elle l'avait traité comme son esclave, mais elle lui avait laissé entendre qu'il ne méritait pas mieux.

Et puis il y avait sa mère. Il savait qu'elle l'aimait et lui voulait du bien, mais comment aurait-elle pu lui donner de la force et de l'espoir, étant elle-même désespérée et opprimée ? Ces deux femmes lui avaient tant et si bien répété qu'il méritait son triste sort, que le jeune homme avait fini par les croire.

« Mais c'était le Dexter d'avant l'université, se dit-il, pour se donner du courage. Le nouveau Dexter, lui, n'y croit pas. Il faut juste que je me souvienne de ça. »

Daisy attendait dans le hall de la résidence, vêtue d'un pantalon rose rayé de blanc, et d'un chemisier immaculé duquel émergeaient deux jolis petits bras bronzés.

— Salut, chéri, lança-t-elle, renversant la tête pour qu'il l'embrasse. Tu es prêt ? Je suis affamée !

Après avoir déjeuné en ville, dans un petit restaurant, Dexter et Daisy se promenèrent main dans la main sur le campus, profitant de cette chaude journée d'octobre. Comme d'habitude, l'immense pelouse grouillait d'étudiants qui prenaient le soleil, jouaient au frisbee ou au foot, faisaient la sieste à l'ombre, s'embrassaient, débattaient, grattaient leur guitare, lisaient des magazines, allaient et venaient.

« Et je suis l'un de ces étudiants, maintenant », songea Dexter, avec une bouffée de bonheur. Bonheur à peine entaché d'incrédulité.

Un sentiment de bien-être l'envahit. Il se trouvait à sa place. Tel était son destin. Et peut-être l'avait-il toujours su, de manière inconsciente. Peut-être était-ce la raison pour laquelle il ne s'était jamais révolté contre son sort, et n'avait pas sombré dans la drogue, ou la déliquance, comme tant de jeunes gens dans sa situation. Il savait qu'un sort meilleur lui était réservé, si toutefois il avait la patience d'attendre.

Alors qu'il parcourait les lieux du regard, en pleine euphorie, sa petite amie à côté de lui, Dexter vit soudain paraître une silhouette familière, dans son nouvel univers. Il lui sembla qu'un énorme nuage noir venait de voiler le soleil, faisant frissonner tout le campus.

« Oh, non, pensa-t-il, tressaillant d'horreur. Non, non, non ! »

— Eh, qu'est-ce qu'il y a ? s'écria Daisy, en arrachant sa main à la sienne, puis en la frottant vigoureusement. Tu m'as pincé les doigts !

— Oh ! excuse-moi, bafouilla Dexter, pris de panique et tentant de le masquer.

Sa tante n'était plus qu'à trente ou quarante mètres, plus vivante que jamais. Sa mère l'accompagnait, la suivant comme son ombre. Il ne pouvait laisser le passé empiéter sur le présent. Si Daisy rencontrait sa mère et sa tante, sa personnalité d'emprunt volerait en éclats. La jeune fille comprendrait immédiatement que la vie de famille heureuse, les vacances en Europe, et tout le reste n'étaient que fantasmes. Ce serait un désastre.

Glacé d'effroi, Dexter vit Paula aborder un étudiant. Sa mère restait timidement en retrait, serrant son sac sous son bras, comme si elle craignait qu'on ne le lui arrache. Dexter était trop loin pour entendre ce que disait Paula, mais au bout d'un moment, le jeune homme haussa les épaules, et les deux femmes se mirent à scruter le campus, l'air hésitant. Elles faisaient tache, comme si elles débarquaient de Mars – sa mère, avec son air de chien battu et ses maigres épaules voûtées ; Paula, tel le plus gros travelo du monde, dans ses vêtements voyants.

« Elles ne sont pas à leur place ici, se dit Dexter, à la fois affolé et révolté. Que font-elles là ? »

Peu importait. Il lui fallait agir rapidement, s'il ne voulait pas voir sa nouvelle vie s'écrouler tel un château de cartes.

— Daisy, dit-il, s'efforçant de paraître désinvolte. Je viens de me rappeler que j'ai promis d'appeler ma cousine, en Suisse. C'est son anniversaire, aujourd'hui. Je ferais mieux d'y aller avant qu'il ne soit trop tard pour téléphoner. Cela t'ennuie, si on se retrouve dans quelques heures ?

Il avait prononcé ces derniers mots sur un ton légèrement hystérique. Daisy le remarqua-t-elle ? En tout cas, elle n'en montra rien.

— Attends un peu, là. Une cousine en Suisse ? Tu vas me rendre jalouse ! s'exclama-t-elle, sur le ton de la plaisanterie.

Il se força à rire.

— Et pourquoi voudrais-je rendre jalouse la plus belle fille du monde ? dit-il, le compliment lui venant tout naturellement. Je te revaudrai ça. Que dirais-tu de dîner ensemble ce soir ? Où tu voudras. C'est moi qui invite.

La jeune femme lui sourit.

— Présenté comme cela, concéda-t-elle. Je devrais pouvoir me passer de toi quelques heures. Ma copine de chambre voulait faire du shopping en ville, de toute façon. Je vais peut-être trouver une tenue sexy pour ce soir.

Elle adressa un clin d'œil à Dexter.

— Souhaite un bon anniversaire à ta cousine de ma part.

Là-dessus elle agita la main, tourna les talons, et prit la direction de sa résidence. En temps normal, il l'aurait suivie des yeux, jusqu'à ce qu'elle disparaisse à l'horizon. Mais il était trop angoissé pour profiter de cette vision, et quand elle tourna au coin du premier bâtiment, il poussa un soupir de soulagement.

Juste à temps…

— Dexter ! s'écria sa tante.

Son timbre résonna telle une corne de brume dans la clameur harmonieuse du campus.

— Te voilà enfin !

— Quelle chance ! s'exclama sa mère.

Les deux femmes se hâtèrent de le rejoindre.

Dexter scruta les alentours, anxieux, tandis qu'elles approchaient. Est-ce que la fille, là-bas, sous l'arbre, ne le regardait pas d'un drôle d'air ? Et ces deux garçons, près de la fontaine, n'étaient-ils pas avec lui en cours de chimie ? Quel étudiant de sa connaissance observait la scène, attendant de faire un rapport complet sur ses parentes, et de l'humilier définitivement ?

Par chance, il n'avait vu personne qu'il connaissait. Mais afin de ne courir aucun risque, il empoigna sa mère par le bras, comme elle s'avançait pour l'embrasser.

— Viens par là, Maman, dit-il. On va trouver un endroit tranquille pour parler.

— Surpris de nous voir ? s'enquit Paula, qui l'obligea à la contourner, refusant de bouger.

— Surpris ? C'est un faible mot.

Dexter aurait voulu paraître ironique, mais il laissa percer son désarroi.

— Suivez-moi. Ne restons pas au soleil !

Il réussit à les entraîner à l'abri des regards, entre la bibliothèque et un autre bâtiment. Ils s'arrêtèrent dans l'ombre d'un vieil érable. Dexter lâcha le bras de sa mère, puis il se retourna pour faire face aux deux femmes.

— Qu'est-ce que vous faites là ? demanda-t-il. Pourquoi ne m'avez-vous pas prévenu ?

— On a essayé, répondit Paula, d'un ton irrité. Mais tu ne réponds jamais au téléphone.

— Peu importe, intervint sa mère, avec un sourire. Nous voici réunis. C'est tout ce qui compte.

Elle considéra Dexter d'un air attristé.

— Tu m'as manqué, Dexy. Pourquoi tu n'es pas venu nous voir ? Tu n'as même pas téléphoné !

La frustration de sa mère était telle, que Dexter en éprouva un malaise réel.

— Cela ne fait que quelques semaines, protesta-t-il, faiblement. Il a fallu que je m'installe, que je commence les cours… Enfin tu vois, j'étais occupé.

— C'est sûr. Tu es étudiant, maintenant, se moqua Paula. Tu n'as plus de temps à consacrer à ta famille. Heureusement que je n'étais pas trop occupée, moi, le jour où j'ai signé l'énorme chèque qui t'a permis de venir ici !

— Paula, s'il te plaît, dit la mère de Dexter, en lui lançant un regard implorant. Ne nous disputons pas ! Je veux tout savoir sur la nouvelle vie de Dexy. Tu te fais des amis, mon petit ?

Sa mère fixa de nouveau sur lui son regard anxieux.

— Mais oui, Maman. Tout le monde est sympa, ici.

Dexter avait toujours été gêné d'évoquer sa vie sociale du temps du lycée, où il faisait figure de paria, et curieusement, il s'aperçut que ce n'était pas plus simple à présent, alors qu'il avait des amis.

— Des petites copines ? coassa Paula. On jette sa gourme, maintenant qu'on n'habite plus chez Maman ?

Dexter haussa les épaules, se sentit rougir.

— Je ne sais pas… marmonna-t-il.

— Laisse-le tranquille, Paula.

Sa mère paraissait aussi gênée que lui qu'on aborde ce sujet.

— Et les cours, Dexter ? Tu as choisi ta matière principale ?

— Oui, qu'as-tu choisi ? Tu planches pour entrer à l'école de médecine, comme on avait dit ?

Dexter regretta presque qu'on ne l'interroge plus sur sa vie personnelle.

— Hum, oui. J'étudie les matières que tu voulais, répondit-il. Biologie, chimie, économie. Et l'espagnol, aussi, parce que je devais choisir une langue. Oh, et puis je me suis incrit en littérature, ajouta-t-il, le plus bas possible.

— En littérature ? s'exclama Paula, avec un rictus horrifié. Mais pourquoi ?

— Je pensais que ce serait intéressant, répondit Dexter, sur la défensive.

Il détestait l'autoritarisme de sa tante – et son impuissance face à elle.

Paula fronça les sourcils.

— Ne me parle pas sur ce ton, mon garçon ! Je ne plaisante pas. Un cours comme celui-là pourrait compromettre tes chances d'entrer à l'école de médecine.

— Ne t'inquiète pas. J'ai déjà rendu un devoir. Et j'ai eu un A.

Dexter se garda de préciser que c'était – et de loin – la meilleure note qu'il avait obtenue jusqu'alors. En réalité, il peinait déjà dans les autres matières, comme si son cerveau se refusait à saisir les complexités de la chimie et de la biologie. Quant à l'économie, c'était affreusement ennuyeux.

— Mais tu sais, s'empressa-t-il d'ajouter, avant qu'elles ne songent à l'interroger sur ses résultats dans les autres domaines, cela n'est pas si bête d'étudier la littérature. Les professeurs d'anglais gagnent bien leur vie, d'après ce qu'on m'a dit, et…

— Oublie ça tout de suite, mon petit! le coupa Paula. Je ne dépense pas tout cet argent pour aider mon neveu à devenir un prof prétentiard, avec une veste en tweed!

Dexter eut le sentiment de se recroqueviller sur lui-même, comme si sa tante l'avait giflé. Pourquoi leur avoir confié cela? Il s'était pourtant promis de leur en dire le moins possible.

Cependant, il ne pourrait leur cacher la vérité indéfiniment. Comment allaient-elles réagir, quand elles verraient ses notes, à la fin du trimestre?

Il songea à tous ces mensonges et se sentit mal. Qu'essayait-il de faire, de toute façon? Pourrait-il jamais devenir le Nouveau Dexter?

Il s'empressa de chasser ses doutes. La volonté triomphe toujours de la difficulté. Peut-être pourrait-il améliorer ses résultats d'ici la fin du trimestre s'il travaillait plus dur – s'il prenait des cours particuliers, par exemple. L'essentiel était de rester à l'université. Une nouvelle vie s'offrait à lui. Et il allait la vivre. Coûte que coûte.

# 11

— Cet endroit craint.

Shannon baissa les yeux sur le sachet de bretzels à moitié plein qu'elle avait à la main.

— Si les choses continuent ainsi, on va tous mourir de faim avant que ces crétins de sauveteurs n'arrivent !

Dexter, qui déjeunait d'un petit pain rance, lui sourit avec bienveillance. Elle n'avait pas tort : c'était maigre, comme repas. Dès que la pluie s'était arrêtée, Shannon et les deux jeunes gens avaient eu faim. Ils avaient voulu se restaurer – et compris que le rationnement était désormais d'actualité.

Boone poussa un grand soupir, et lança un regard irrité à sa sœur.

— Oui, Shannon, on le sait. Mais au lieu de te plaindre, essaye de faire quelque chose !

— Ah, oui. Quoi, par exemple ? fit-elle, en le fusillant du regard. Commander une pizza ?

— Nous pourrions peut-être tenter une incursion dans la jungle, hasarda Dexter, jouant les conciliateurs. Il y a des arbres fruitiers près de la plage, mais ils ont été pillés. Essayons de nous enfoncer un peu plus loin dans la forêt. Nous trouverons peut-être des fruits et des baies, voire une source.

Boone haussa les épaules, fataliste.

— Pourquoi pas? Cela me semble être une bonne idée.

Il se tourna vers sa sœur.

— Qu'en dis-tu, Shannon? Tu viens, ou tu préfères entretenir ton bronzage?

— Va te faire…

— Salut, la compagnie! lança une voix à l'accent anglais. Comment ça se passe?

Un barbu approchait; Arzt le suivait en traînant les pieds. Dexter avait déjà aperçu ce jeune homme – il avait participé à l'expédition en montagne visant à contacter les autorités –, mais il ne lui avait pas encore parlé. Pour l'heure, le barbu paraissait las. Dexter soupçonna Arzt de lui avoir tenu des propos assommants.

— Salut, dit-il au jeune Anglais. Je ne pense pas que nous nous soyons déjà rencontrés. Je m'appelle Dexter.

— Charlie, dit le nouvel arrivant, en lui tendant la main. Ravi de te connaître, Dexter.

Arzt se laissa tomber sur le sable, essoufflé, en sueur.

— Bon Dieu! grinça-t-il. D'abord cette pluie, et maintenant la chaleur. On a l'impression d'être dans un sauna!

— Charlie faisait partie de Driveshaft, le groupe de rock, dit Shannon à Dexter, ignorant le commentaire de Arzt. Tu vas pouvoir lui poser toutes les questions que tu veux.

Charlie parut légèrement vexé.

— J'en fais toujours partie, rectifia-t-il. Nous ne sommes pas officiellement séparés.

— Driveshaft? s'exclama Dexter, impressionné. Oui, je me souviens d'eux. Cool!

Boone semblait peu intéressé par cet échange.

— Nous pensions faire un tour dans la jungle, pour essayer de trouver des fruits, et une source, dit-il aux derniers venus. Tu veux nous accompagner, Charlie?

L'Anglais jeta un coup d'œil anxieux en direction de la forêt. Mais il finit par se décider.

— Oui, si vous voulez.

— Je vais venir aussi, annonça Arzt, qui se leva, puis s'étira. Cela ne sert à rien de chercher à manger si l'on ne sait pas ce qui est comestible.

— Parce que toi tu le sais? dit Charlie, sceptique.

Arzt haussa les épaules.

— Je suis un homme de science, mon garçon, déclara-t-il, vaguement méprisant.

Alors qu'ils s'interrogeaient sur la direction à prendre, Dexter vit la grande femme aux cheveux auburn, qui avait participé à l'expédition en montagne, venir vers eux; elle marchait tête baissée, et semblait préoccupée. Quelqu'un avait dit à Dexter qu'elle s'appelait Kate, et qu'elle était amie avec Jack. Dexter la regarda approcher, se demandant ce qui la troublait à ce point.

— Salut! lança-t-il, prenant cette fois l'initiative de se comporter en pyschologue. Vous êtes Kate, n'est-ce pas?

Elle leva les yeux, stupéfaite.

— Oui.

Dexter la présenta, bien que la plupart des autres semblaient déjà la connaître.

— Nous partons en expédition dans la jungle,

annonça-t-il. A la recherche de nourriture. Vous voulez venir ?

— Oui, je vais vous accompagner.

Kate repoussa une boucle brun-roux, qui lui était tombée dans les yeux.

— Cela me fera du bien de m'éloigner un peu de cette plage, je crois.

Dexter remarqua qu'elle avait jeté un bref regard à l'abri servant d'infirmerie en disant cela. Et duquel s'échappaient des râles de douleur de plus en plus fréquents. On disait que le blessé – l'homme auquel on avait retiré un fragment de métal du ventre – allait sans doute mourir, en dépit des efforts déployés par Jack.

Dexter tressaillit et détourna les yeux, préférant ne pas trop y penser.

— Formidable, dit-il à Kate. Plus on est de fous plus l'on rit.

Ils se dirigèrent tous les six vers la lisière de la forêt. Comme ils en approchaient, ils croisèrent Walt, qui donnait des coups de pied dans le sable, sous un palmier.

Dexter s'arrêta, surpris de le trouver là tout seul. Jusqu'alors, il l'avait toujours vu en compagnie de son père, ou de John Locke, l'homme au visage insondable avec qui il semblait s'être lié d'amitié.

— Salut ! lança-t-il au gamin. Qu'est-ce que tu fais de beau, Walt ? Où est ton père ?

Walt le regarda, plissant les yeux à cause du soleil.

— Dans la jungle. Il est parti chercher Vincent.

— Vincent ? s'exclama Dexter, qui en éprouva comme un coup au cœur.

Il s'était tant inquiété de Daisy, qu'il n'avait pas

songé que d'autres rescapés pouvaient de même être à la recherche d'un être cher.

— C'est ton frère ? demanda-t-il.

— Non.

Walt le regarda comme s'il avait perdu l'esprit.

— C'est mon chien !

— Oh.

Dexter se souvint alors que le garçon avait déjà mentionné l'animal.

— Eh bien j'espère qu'il va le retrouver.

Dexter et ses compagnons reprirent leur route, laissant l'enfant shooter dans le sable. Ils empruntèrent un chemin sinueux, dans l'ombre mouvante des palmiers. Il faisait frais dans le sous-bois, ce que Dexter apprécia vivement, car sur la plage, la chaleur était de plus en plus étouffante. Arzt avait raison, l'orage n'avait pas rafraîchi l'atmosphère : il l'avait seulement rendue plus humide. Dexter buvait le plus possible, craignant la déshydratation. Mieux valait rester vigilant, vu qu'il avait déjà des trous de mémoire, et des hallucinations.

Après quelques minutes, le sentier s'amenuisa, ne formant plus qu'une trace entre les gros rochers, qu'on trouvait dans cette partie de la forêt. Les rescapés durent continuer en file indienne. Dexter fermait la marche, derrière Shannon. La contrariété se lisait sur le visage de la jeune femme ; de fines gouttes de sueur constellaient son front et la racine de ses cheveux blonds.

— La prochaine fois que je prendrai des vacances, j'éviterai les tropiques, déclara-t-elle, avec humour.

Dexter lui adressa un sourire complice.

— Et pourtant j'ai toujours adoré la mer, ajouta-t-elle.

— Oh, attends une seconde !

Dexter venait d'apercevoir de l'eau, dans le creux d'un rocher, quelques mètres plus loin. Bien que la chaleur fût moins oppressante dans la jungle, il était déjà assoiffé.

— On dirait de l'eau de pluie, dit-il. Je crois que je vais aller boire un coup.

Shannon fronça le nez.

— Tu es sûr qu'elle est potable ?

— On verra bien.

Dexter se fraya un chemin entre les hautes herbes. Leurs camarades, qui se trouvaient une dizaine de mètres plus loin, semblèrent ne rien remarquer. Shannon, toutefois, s'arrêta et l'attendit.

Dexter grimpa sur le rocher, puis se pencha pour boire. Un rayon de soleil frappait la flaque d'eau, faisant danser la lumière à la surface.

Comme ses mains en coupe s'en approchaient, et qu'il s'apprêtait à boire, Dexter aperçut son reflet dans l'eau. Ses traits semblèrent se déformer – son regard lui parut sombre, tout à coup, hostile, furieux. Sa bouche prit une expression moqueuse…

— Waouh ! hurla-t-il, si surpris qu'il fit un bond en arrière et faillit tomber.

— Qu'y a-t-il, Dexter ? s'écria Shannon, alarmée.

Il avait les yeux fixés sur la flaque, dont la surface était redevenue lisse, et ne lui renvoyait plus que l'image de son éternel visage.

— Mon reflet – répondit-il. Il… il a changé. Comme s'il y avait quelqu'un d'autre, sous l'eau, qui me regardait !

La jeune femme fronça les sourcils.

— Qu'est-ce que tu racontes ? Ne me fais pas peur pour rien ! J'ai cru que tu avais marché sur un serpent.

— Mais j'ai vu un autre visage ! insista-t-il, trop ébranlé pour s'inquiéter de ce qu'elle pourrait penser. Je te le jure ! Je regardais mon reflet, et tout à coup, mes traits ont changé.

Il avait lui-même conscience de ne pas être crédible.

Shannon jeta un coup d'œil à la flaque d'eau, peu convaincue et vaguement agacée.

— Ne panique pas. Des gouttes de pluie ont dû tomber des arbres, et brouiller la surface de l'eau.

D'un geste, elle désigna la voûte de verdure, au dessus de leurs têtes.

— Cela t'aura donné l'illusion de voir un autre visage que le tien. Un peu comme si tu te regardais dans un miroir déformant.

— Tu as sans doute raison, concéda Dexter, qui pourtant ne parvenait pas à chasser la vision de cette figure de fou furieux – la sienne, et pourtant une autre. Mais…

— Mais quoi ? demanda-t-elle, en jetant un coup d'œil dans la direction où avaient disparu leurs compagnons.

On n'entendait presque plus leurs voix.

— Allez viens, Dex ! On ferait mieux de rejoindre nos amis. Je n'ai pas envie de me retrouver perdue ici.

Shannon ouvrit la marche et Dexter la suivit. Mais il continuait à penser à l'étrange vision.

— Tu sais, ce n'est pas le premier phénomène bizarre auquel j'assiste depuis l'accident…

Espérant qu'elle n'allait pas le croire fou – du moins encore plus fou qu'elle ne l'avait pensé quelques minutes plus tôt – il lui relata sa rencontre avec son double, dans la jungle, la veille.

— Tu as souffert de déshydratation, après le crash. C'est ce que Jack a dit, non ? déclara-t-elle, quand il eut achevé son récit. Peut-être que cela t'a donné des hallucinations.

— Oui, admit-il. C'est possible. Mais si je suis parti chercher mon double dans la jungle, c'est parce que plusieurs personnes juraient m'avoir vu dans des endroits où je n'étais pas allé.

Il secoua la tête.

— Je sais que cela paraît complètement fou. Mais quand bien même il s'agirait d'une illusion, pourquoi mon cerveau projette-t-il cette image-là ? Pourquoi ce double semble-t-il me hanter ?

Shannon haussa les épaules, manifestement peu intéressée par la question.

— Je ne sais pas.

Elle lui lança un petit sourire narquois.

— Voilà une question pour le docteur Cross, psychologue.

— Sans doute, oui, dit-il, mal à l'aise, tout à coup.

Il se demanda pourquoi la remarque de Shannon l'avait déstabilisé à ce point. Là-dessus le chemin décrivit une courbe, et ils aperçurent les autres, un peu plus loin. Ils étaient arrêtés au pied d'un arbre, les yeux levés vers les branches.

— Viens, dit la jeune femme. Allons voir ce que nos camarades ont trouvé.

## 12

Dexter consulta le calendrier accroché au-dessus de son bureau, et sentit l'angoisse le gagner. Six décembre ; il ne lui restait que deux semaines avant les vacances d'hiver. Qu'il allait passer chez sa mère, perspective peu réjouissante. Mais il avait d'autres raisons de s'inquiéter.

« Cesse de t'obséder avec ça, se sermonna-t-il, en fixant le texte sur son écran. Essaie déjà de finir ce devoir. Tu as des résultats déplorables en chimie, en bio et en éco. C'est ta dernière chance d'obtenir une bonne note. Ne la gâche pas... »

Dexter soupira, et se laissa entraîner par ses pensées. Les livres de sciences et d'économie, empilés au pied de son bureau, lui inspiraient presque de l'effroi. Il faudrait un miracle, songea-t-il, pour que j'aie la moyenne dans ces matières-là. Il passait des heures sur les chapitres de chimie et de biologie, sans y comprendre grand-chose. Quant à l'économie, cela l'ennuyait tellement, qu'il ne retenait rien, ni de ses lectures, ni des cours magistraux.

Dexter avait laissé sa porte entrebâillée, afin de profiter de la musique de son voisin, un rap tonitruant. Il semblait qu'il fût le seul à ne posséder ni chaîne stéréo sophistiquée, ni téléviseur, ni lecteur de DVD. Quelques étudiants s'étant étonné de ses goûts spartiates, il avait répondu que sa mère, passionnée depuis peu par le bouddhisme, prônait les vertus du dépouillement. Cela avait semblé calmer leur curiosité.

On avait gobé ses mensonges, comme chaque fois. Cette pensée fit naître en lui un sentiment – désormais familier – de culpabilité.

Comme il se forçait à reporter son attention sur son écran, on poussa légèrement la porte, qui grinça. Il tourna les yeux dans cette direction, pensant que l'un de ses condisciples venait lui proposer d'aller boire un verre. Ce fut la tête blonde de Daisy qui apparut dans l'entrebâillement.

— Coucou, c'est moi ! lança-t-elle, gaiement. Je passais devant ton bâtiment, et j'ai eu envie de te voir.

— Ouais !

Dexter en oublia tous ses soucis. Il se leva de son siège et courut vers elle. Généralement, le simple fait de la voir relativisait ses problèmes. Il les résoudrait – de toute façon, il n'avait pas le choix. Il se pencha pour embrasser la jeune femme, puis écarta du pied le linge sale, les emballages de fast-food, et les carnets qui jonchaient le tapis.

— Entre, et excuse-moi pour le désordre.

D'un geste, elle repoussa l'excuse familière, puis le suivit jusqu'à son bureau.

— Je dois retrouver Cara dans dix minutes. On va dîner au Quarante-Deux. Tu veux venir ?

Elle lui sourit, pleine d'espoir.

Dexter eut une nouvelle bouffée d'angoisse. Le Quarante-Deux était l'un des restaurants les plus chers de la ville – et l'un des endroits favoris de Daisy pour un dîner impromptu. Une part bien trop importante de l'argent de Paula, et des fonds personnels de Dexter – il avait un travail à temps partiel à l'économat – avait fini dans la caisse du restaurant.

L'argent. Un autre problème qu'il s'efforçait d'ignorer. Jusqu'à présent, il avait réussi à entretenir ce mythe du jeune homme riche qui prend un petit boulot d'appoint pour satisfaire aux exigences de ses parents, qui pensent que cela forme le caractère. Cependant, cette fable se terminerait le jour où il aurait épuisé ses fonds. Car cela lui coûtait cher, d'avoir une petite amie habituée au luxe, bien plus cher qu'il n'aurait pu l'imaginer. Et comment allait-il s'en tirer, si la somme allouée par sa tante était dépensée avant les vacances de Noël ?

Il avait entendu dire que des gens vendaient leur sang et il se demandait – de plus en plus souvent, ces derniers temps – comment cela fonctionnait.

— Alors, qu'en dis-tu ? s'enquit Daisy, enjôleuse. Tu peux abandonner ton devoir pendant quelques heures ?

Ce qui lui rappela qu'il avait la meilleure des excuses pour échapper à ce dîner ruineux.

— Excuse-moi, Daisy, mais il faut vraiment que je finisse ce truc. Et puis j'ai encore toute l'économie à revoir pour la fin de la semaine, si je veux espérer avoir la moyenne. Une autre fois ?

— D'accord.

Elle ne parut que légèrement déçue par son refus.

Se penchant par-dessus son épaule, elle lut ce qu'il y avait à l'écran.

— Ça avance bien ? s'enquit-elle. Tu as choisi Dickens, finalement ?

— Oui. Et toi, ton devoir sur Chaucer ?

— Presque fini. C'est pourquoi j'ai décidé de fêter ça.

Elle lui fit un clin d'œil mutin.

— Oh, mais au fait ! Tu ne m'as toujours pas dit ce que tu faisais pendant les vacances. J'ai tellement hâte que tu connaisses ma famille ! Et puis tu vas adorer la maison au bord de la mer. Cela ne doit pas être très différent de la propriété de ton oncle, à Cabo.

Dexter sentit de nouveau son estomac se contracter. Daisy l'avait invité à passer Noël en Floride, chez ses parents. Et s'étonnait qu'il tarde à accepter. Jusqu'à présent, il avait réussi à temporiser, prétextant qu'il lui fallait d'abord obtenir l'aval de sa propre famille, mais il n'allait plus pouvoir tergiverser bien longtemps. Daisy tenait manifestement à passer au moins une partie des vacances avec lui. Cependant, sa mère et sa tante entendaient le voir revenir à la maison. Comment allait-il concilier ces deux réalités ?

Ne voyant pas de compromis possible, il s'arma de courage et régla la question.

— Je m'apprêtais à t'en parler, déclara-t-il, son imagination lui soufflant déjà une excuse plausible. Je vais devoir refuser, Daisy. Mais ce ne sera que partie remise, promis.

— Comment ça, tu vas refuser ?

Cette fois, elle parut réellement déçue.

— J'ai eu mes parents au téléphone, aujourd'hui, dit-il, s'efforçant de lui mentir sans éprouver de culpabilité.

Or c'était difficile : Daisy le couvait d'un regard

candide, elle avait une totale confiance en lui. Il dut se retenir de se jeter à ses pieds et de tout lui avouer.

— Ils veulent m'envoyer en Espagne, travailler pour une œuvre de charité.

Ce pays lui semblait suffisamment loin de la Floride pour éviter des retrouvailles, même brèves.

— C'est une tradition familiale, s'empressa-t-il de préciser. Mon père le faisait quand il était étudiant, de même que mon grand-père. C'est une manière pour nous de contribuer à soulager la misère du monde, même dans une faible mesure. Et maintenant c'est à mon tour d'y aller.

— Oh.

Daisy se tut pendant quelques instants, assimilant ce qu'il venait de lui dire.

— C'est tout à ton honneur, Dexter. Il s'agit là d'une tradition des plus louables. Et ce sera sans doute une expérience enrichissante pour toi. Ce serait malvenu de te le reprocher.

Elle eut un sourire triste.

— Mais tu vas me manquer, tu sais. Quand dois-tu rentrer d'Europe ?

— Je ne sais pas encore. Mais je serai là à temps pour reprendre les cours.

Il retint son souffle, stupéfait que ce mensonge improvisé n'ait pas éveillé en elle le moindre soupçon.

— Bon, fit-elle. Mais tu veux bien me promettre au moins une chose ? C'est de revenir une journée avant, pour que je te présente mes parents. Ils doivent me raccompagner en voiture.

Dexter n'hésita qu'une seconde avant de répondre.

— Mais bien sûr, dit-il, touché par autant d'amour. Avec plaisir.

— Super !

Daisy était de nouveau radieuse. Elle jeta un coup d'œil à sa montre, écarquilla les yeux.

— Oh, là ! Je suis en retard. Cara va me tuer !

Elle se pencha pour déposer un baiser sur le front de Dexter.

— Ne te lève pas. Je suis partie.

— Amuse-toi bien. Je t'appelle demain.

Elle se dirigea vers la porte d'un pas sautillant, et disparut dans le couloir.

Dexter songea alors que sa vie de ces derniers mois ressemblait décidément à un conte de fées – même si les divers problèmes liés à son imposture lui donnaient des ulcères à l'estomac. Il étudiait dans l'une des plus grandes universités du pays, sortait avec la plus belle fille du monde, qui de surcroît se plaignait de ne pas le voir assez.

« J'ai bien de la chance », se dit-il.

Il s'inquiétait toutefois à l'idée d'avoir promis de rencontrer les parents de Daisy. Car cela l'obligerait à rentrer un jour plus tôt. Et qu'allait-il dire à sa mère et à Paula pour justifier cela ? Dexter songea qu'il saurait trouver un prétexte d'ici là. Il avait toujours inventé des histoires crédibles, jusqu'à présent.

« Il se peut que la chance ait tourné en ma faveur », se dit-il, fixant le plafond et oubliant son devoir. « On entend toujours parler de gens favorisés par le sort, qui se retrouvent dans des situations critiques suite à de mauvaises décisions, ou par malchance. Et si l'inverse était vrai ? Après tout, ne l'aurais-je pas mérité ? »

## 13

— Oh, les mecs ! s'exclama Hurley, d'un air appréciateur, en prenant un fruit sur le tas que Boone venait de laisser tomber sur le sable. C'est incroyable ! Où avez-vous trouvé ça ?

— Par là-bas, répondit Kate, en tendant le bras vers la jungle.

Avec l'aide de Boone et de Charlie, elle entreprit d'expliquer à quel endroit ils avaient cueilli les fruits, comme d'autres rescapés approchaient, et manifestaient leur approbation.

Dexter ne leur accorda que peu d'attention, toutefois. Il laissa tomber sa charge sur le tas, s'étira, puis s'éloigna du groupe. La découverte de l'arbre fruitier l'avait distrait de ses problèmes, mais depuis qu'il avait regagné la plage, il ne cessait plus de jeter des regards à l'épave. Il ne trouverait de répit qu'en allant voir si Daisy était à l'intérieur – et il le savait.

Un râle de douleur s'échappa de la tente de fortune qui servait d'infirmerie, l'arrachant à ses pensées. Les hurlements du blessé semblaient de plus en plus fréquents.

Dexter, qui avait soif, et approchait de l'une des bâches dans lesquelles ils récupéraient l'eau de pluie, tourna instinctivement la tête vers lui. Ces cris avaient de même attiré les regards de nombreux rescapés.

Jack sortit de la tente à cet instant-là, et se dirigea rapidement vers le réservoir d'eau improvisé. Il tenait plusieurs tasses à la main, découpées dans de vieilles bouteilles en plastique, et paraissait épuisé.

— Comment ça se passe, pour lui ? demanda Dexter, quand Jack arriva devant le réservoir.

Le médecin se pencha, prit de l'eau. Puis il se redressa et répondit, d'une voix tendue :

— Ça pourrait aller mieux. Mais nous ne perdons pas espoir.

Il s'éloigna avec son eau avant que Dexter put ajouter quoi que ce soit.

Les fruits faisaient toujours sensation parmi les rescapés. Quand il eut fini de boire, Dexter longea le rivage, s'efforçant de ne plus penser à l'épave – et de chasser le sentiment de culpabilité grandissant qui le tenaillait. Un homme était assis un peu plus loin, seul, et il marcha vers lui, se demandant de qui il s'agissait. Quand il se fut rapproché, il reconnut Locke.

Dexter hésita, tout en fixant cet homme d'âge moyen, atteint de calvitie naissante. John Locke le mettait mal à l'aise. Peut-être parce que ses yeux bleu pâle semblaient sonder votre âme, quand ils se posaient sur vous. Ou encore parce qu'il se montrait assez peu communicatif.

Dexter faillit tourner les talons, puis il aperçut le fuselage de l'avion, et choisit Locke comme ultime excuse à sa lâcheté.

— Salut ! lança-t-il, en marchant vers le solitaire et

en lui tendant la main. Je voulais vous dire que nous avons trouvé de nouveaux arbres fruitiers, non loin d'ici. Nous avons rapporté des fruits. Il y en plein, là-bas, si vous voulez.

Locke était assis sur un banc de fortune, parmi d'autres débris du crash, en train de tailler quelque chose dans un morceau de bois avec un canif. Dexter crut d'abord qu'il n'allait pas lui répondre, car Locke lui accorda à peine un regard, avant de reporter son attention sur son fragment de bois.

Il finit cependant par parler.

— Non, merci. Je n'ai pas faim.

Il s'exprimait d'une voix douce, assurée, avec les intonations d'une personne cultivée.

— Qu'est-ce que vous faites ? s'enquit Dexter, curieux.

— Un sifflet.

— Super.

Le jeune homme était un peu surpris, mais après tout, il s'agissait là d'une façon comme d'une autre de passer le temps.

— Vous avez l'air de vous y connaître, remarqua-t-il. Vous pensez qu'il va marcher ?

Locke le regarda en plissant les yeux, à cause du soleil. L'astre avait atteint son zénith quelques heures plus tôt, et repris sa lente descente vers l'horizon, au-dessus de l'océan.

— Oh, il va marcher, répondit Locke, sûr de lui. La question est de savoir ce qui va apparaître quand je vais siffler.

Cet homme, avec ses yeux bleu délavé, dont l'un était barré d'une affreuse cicatrice commençait à déstabiliser Dexter. Une crainte irrationnelle le prit : et si Locke pouvait lire dans son cœur, et dans son esprit, y voir des choses que lui-même ignorait ?

Il s'empressa de chasser cette pensée.

— Bien, dit-il, je vais aller prévenir d'autres personnes que nous avons trouvé des fruits. A plus tard !

Là-dessus il tourna les talons.

Au retour, il croisa Charlie, qui arpentait la plage d'un pas nonchalant, l'air de s'ennuyer. Dexter le salua d'un hochement de tête mais ne s'arrêta pas pour bavarder. Il éprouvait tout à coup le besoin d'être seul.

Dès qu'il approcha du campement, il bifurqua vers le bord de l'eau. Il ôta ses chaussures, et apprécia de marcher nu-pieds sur le sable mouillé. Pendant quelques minutes, il en oublia presque l'horreur de la situation présente, et put jouir de la beauté du paysage.

Dommage que Daisy ne soit pas là pour en profiter avec moi, songea-t-il.

Cette pensée le ramena aussitôt dans la réalité. Il s'arrêta, jeta un coup d'œil en arrière, sur la plage constellée de débris. Son regard se fixa sur le fuselage. Une fois de plus, il se reprocha de ne pas avoir eu le courage d'aller voir à l'intérieur. Pourquoi s'avérait-il incapable de passer à l'acte ?

Des éclats de voix le tirèrent de ses pensées. Des gens se disputaient, un peu plus loin, hors de sa vue. Un homme et une femme. Ils paraissaient enragés, quoique la femme criât moins fort que l'homme. Toutefois, Dexter ne comprenait pas ce qu'ils se disaient.

Il poursuivit son chemin, contourna de gros rochers, et déboucha dans une petite crique. Et là, se faisant face et s'invectivant, il vit le rescapé d'origine asiatique qui lui avait offert du poisson cru, le jour où il avait repris connaissance, et la jolie femme aux yeux bridés – son épouse, pensait-on. Un rescapé avait dit à Dexter qu'ils étaient coréens et ne parlaient pas un mot d'anglais. Personne ne connaissait leur nom. Ils vivaient un peu à l'écart, même si l'homme venait proposer ses sushis de temps à autre. Certains survivants les trouvaient d'ailleurs très bons, mais Dexter n'avait toujours pas envie d'y goûter.

Il sursauta, comme le Coréen laissait échapper un cri frustré, n'obtenant apparemment pas ce qu'il voulait. La femme préféra lui tourner le dos plutôt que de continuer à l'insulter. Elle paraissait à la fois blessée, et pleine de ressentiment.

Dexter se figea. Daisy avait eu exactement la même expression ! Il revoyait sa petite amie lui tournant le dos, après l'avoir regardé de cette façon. Mais dans quelles circonstances ? Et pourquoi ? Il réfléchit, fouilla sa mémoire, mais ne put se rappeler ce qui avait motivé une telle réaction. S'étaient-ils chamaillés, comme le faisaient Boone et Shannon à longueur de journée, ou bien s'agissait-il d'une querelle plus sérieuse ?

Daisy et moi ne nous chamaillons pas, se rappela-t-il. Même s'il avait des trous de mémoire depuis l'accident, Dexter pouvait jurer de cela.

Cependant, cette pensée n'avait rien de rassurant. S'ils ne s'étaient pas chipotés pour une bêtise, ils s'étaient disputés pour un motif grave. Aussi comment pouvait-il avoir oublié cette querelle ?

Dexter fit demi-tour et repartit vers le campement. Cette image de Daisy en colère l'obsédait.

— Eh, mec ! Où avais-tu filé ?

Dexter leva les yeux et vit qu'il avait failli heurter Boone, qui se rinçait les mains dans la mer.

— Salut, dit-il. J'étais allé boire un coup.

Boone se redressa et le considéra d'un œil attentif.

— Tu es sûr que ça va ? demanda-t-il. Tu as l'air un peu bizarre.

— Merci Boone, c'est sympa, ironisa Dexter.

Il eut un petit sourire contrit, puis poussa un soupir.

— Mais tu as raison. Moi-même je me trouve bizarre.

— Tu veux que j'aille te chercher à boire ? proposa aussitôt Boone. Je peux courir au réservoir ou bien…

— Non, ce n'est pas ça.

Dexter faillit inventer une excuse pour se débarrasser de Boone. Puis il réalisa que le jeune homme était sans doute le seul ami qu'il avait sur cette île. Le fait de parler à quelqu'un lui ferait peut-être du bien. Il se mit à gratter le sable mouillé du bout d'un orteil, les yeux baissés.

— J'ai le sentiment d'être un lâche, parce que je n'ai pas le courage d'aller dans le fuselage, voir si je trouve Daisy.

Il eut un petit haussement d'épaules gêné.

— Elle pourrit là-dedans depuis l'accident, si ça se trouve. Et moi je l'ai cherchée dans la jungle bêtement.

Boone le dévisagea, parut hésiter.

— Cela n'a pas l'air de te perturber tant que ça, mec, déclara-t-il, d'un ton vaguement accusateur. A dire vrai, tu n'as jamais paru si pressé que ça de la retrouver. Je m'en suis rendu compte dès le début, mais j'ai d'abord cru que c'était dû à la déshydratation. Alors j'ai attendu de voir comment tu réagirais ensuite…

— Oui, je sais.

Boone avait raison. Retrouver Daisy n'était pas pour lui une préoccupation majeure, mais une chose qu'il devait se rappeler constamment. Or il y avait une raison à cela, et la vérité venait de lui revenir – encore un souvenir qui resurgissait.

— Je ne sais même pas si elle était dans l'avion, en fait.

— Quoi ? s'exclama Boone, stupéfait. Mais tu avais dit…

— Elle avait une place réservée sur le vol, expliqua Dexter, en se demandant pourquoi il s'en souvenait seulement maintenant. Mais nous nous sommes disputés à Sydney, avant de partir, et je ne l'ai pas vue, quand nous avons embarqué. Elle peut avoir pris un autre avion, ou demandé à changer de place dans celui-ci. Je n'en sais vraiment rien.

— C'est dur, mec.

Boone l'observa avec un mélange d'inquiétude et de curiosité.

Sans doute se demandait-il à propos de quoi ils s'étaient disputés. Le problème était que Dexter continuait lui-même à se le demander. L'expression fâchée de Daisy était nette dans son esprit, mais sinon, aucun détail ne lui revenait.

Et ces trous de mémoire le déstabilisaient ; il avait le sentiment de ne plus être vraiment lui-même.

— Je vais aller voir dans l'avion, déclara-t-il soudain. Il faut que je sache si elle est là. Et je vais y aller maintenant, avant qu'il ne fasse trop sombre. Comme cela je serai fixé.

— O.K.

Boone le regarda, perplexe.

— Bonne chance, mec.

Dexter le remercia et marcha vers l'épave à grands pas. Le ciel se teintait de rose, et la beauté du lieu paraissait d'autant plus choquante que la plage était jonchée de débris et qu'un homme râlait, à l'article de la mort.

Tout à son objectif, Dexter ne remarqua rien : ni les cris du mourant, ni le coucher de soleil. Il s'arrêta juste le temps de trouver une lampe de poche dans un tas d'objets utiles que les rescapés avaient regroupés, puis se dirigea droit vers l'avion. L'énorme carcasse emplit son champ de vision. Il s'arrêta à quelques mètres de l'ouverture obscure, à la découpe fracturée. Toutes ses angoisses resurgirent quand il entendit les mouches bourdonner, et sentit la puanteur.

Dexter prit une grande inspiration, s'arma de courage, et avança. Il savait ce qu'il convenait de faire. Il ne lui restait plus qu'à passer à l'acte...

## 14

— Tu as vu ça ?

Tante Paula leva les mains, dégoûtée, faisant tinter les bracelets voyants qu'elle portait depuis quelque temps. Elle fusilla du regard les personnages de la série policière, qui s'agitaient sur l'écran.

— Ce détective ferait bien de dégager et de laisser les médecins travailler, s'il veut que la fille survive, et lui dise qui a tué ces huit personnes !

— Les urgences ont toujours quelque chose d'excitant, remarqua la mère de Dexter, assise sur le canapé en cuir flambant neuf. Peut-être que Dexy y travaillera, quand il sera médecin.

Elle se tourna vers son fils, et lui sourit.

Dexter prit une grande inspiration, s'efforçant de trouver le courage d'affronter sa tante et sa mère. Les vacances d'hiver touchaient à leur fin, or il n'avait pas encore annoncé aux deux femmes qu'il allait regagner l'université un jour plus tôt – ni abordé la question de ses notes, et de son avenir.

Maintenant ou jamais, se dit-il, le second choix, hélas, n'étant pas envisageable.

Dexter alla poser son bol de céréales à moitié plein dans l'évier rempli de vaisselle sale, sortit de la minuscule cuisine, et rejoignit les deux femmes dans le petit living. Cela pouvait très bien se passer, en fait, comme tout le reste, ces derniers temps. Si sa chance avait réellement tourné, il ne devait pas craindre de dire la vérité.

Par ailleurs, il se pouvait qu'il jugeât sa tante et sa mère trop sévèrement. A une époque, il n'aurait jamais pu les imaginer l'encourageant à poursuivre des études supérieures. S'il leur expliquait la situation, peut-être comprendraient-elles qu'il convenait de lui laisser choisir sa matière d'élection. Cette pensée le rasséréna quelque peu, il s'éclaircit la voix.

— Ecoutez, déclara-t-il, d'un ton qu'il espérait ferme. Il y a quelque chose dont j'aimerais vous parler.

Les deux femmes n'avaient visiblement aucune envie d'interrompre leur séance de télé. La mère de Dexter, toutefois, sembla percevoir une certaine urgence dans sa voix et se tourna vers lui, perplexe.

— Qu'y a-t-il, Dexy ?

— Cela concerne la matière que je dois choisir.

Cette fois, Paula détourna les yeux de l'écran.

— Eh bien ? fit-elle. J'espère que tu prépares médecine. Tu ferais mieux de poser tes jalons, mon garçon, si tu veux intégrer une bonne école.

— Mais toute la question est là, dit Dexter. Je... je ne pense pas vouloir entrer à l'école de médecine. Et de toute façon, je crois que je ne pourrais pas, même si je le voulais. Regardez mes notes... Elles ne sont pas terribles. En tout cas dans les matières scientifiques.

— Mais enfin Dexy, dit sa mère, consternée, tu nous avais dit que tu t'en sortais bien ! Que s'est-il passé ?

— J'ai de bons résultats en anglais, dit Dexter.

Il se souvint des commentaires de son professeur à propos de son dernier devoir, et en éprouva une certaine fierté.

— Très bons, même, reprit-il. Et puis j'ai eu un B en espagnol, et un C+ en économie.

— Et les matières scientifiques ? s'enquit Paula. Ce sont celles-là qui comptent pour ta prépa de médecine, tu sais.

— Je sais. Mais j'ai raté mon coup, là.

Il eut un petit haussement d'épaules, osant à peine avouer ses vraies notes.

— J'ai eu un D en bio, et un D– en chimie. Désolé.

Sa mère semblait horrifiée.

— Oh, Dexy…, souffla-t-elle.

— Comment as-tu fait pour te planter à ce point-là ? cracha Paula. Tu n'avais pas des notes comme ça au lycée. Autrement ils ne t'auraient jamais laissé entrer dans cette super université.

— Je sais.

Dexter s'efforçait de rester ferme. Car au premier signe de faiblesse, Paula allait attaquer tel un requin.

— Mais les cours de fac sont d'un autre niveau. Et comme j'essaie de vous le dire, je suis plutôt un littéraire.

Il s'attendit à ce que Paula l'agresse, lui reproche d'être bête, ou paresseux. Mais elle se contenta de réfléchir en silence. Puis elle lança un regard à sa sœur et haussa les épaules, fataliste.

— Il semble que notre Dexie ne soit pas de l'étoffe dont on fait les médecins, déclara-t-elle. Il fallait s'en douter, vu la façon dont il a crié, le jour où il s'est ouvert le menton.

Dexter grimaça, et se retint de porter la main à sa cicatrice, comme les deux femmes la regardaient. Pourquoi fallait-il toujours que sa tante reparle de cette histoire embarrassante ? Il se souvenait de cet incident comme s'il datait d'hier.

Il avait dix ans. On le chahutait déjà. Poussé à bout par les provocations habituelles – à cause de sa mise, du fait qu'il était un enfant sans père – il avait bondi sur le plus grand de la bande, prêt à leur régler leur compte à tous. Ils l'avaient rossé, bien entendu. Dexter avait eu un œil au beurre noir. Et quand ils l'avaient balancé sur le trottoir, à la fin, il s'était ouvert le menton en tombant, d'où la cicatrice, qui n'avait pas fini de lui rappeler cette terrible humiliation.

Ç'aura été la seule fois de ma vie où j'aurai tenté de me défendre, songea-t-il. Du moins jusqu'à aujourd'hui…

— Tu as sans doute raison, Paula, reconnut la mère de Dexter, à contrecœur. Mais que va-t-il faire, s'il ne devient pas médecin ?

Dexter s'apprêta à répondre. Peut-être allaient-elles enfin l'écouter, envisager le fait qu'il pourrait devenir professeur, ou écrivain. Après tout, il avait un certain talent, quand il s'agissait d'inventer des histoires.

— Et l'école de droit ? lança Paula, sans lui laisser le temps de s'exprimer. J'ai entendu dire que les gens doués dans toutes ces matières superflues font de bons avocats.

— Oh, mais ce serait merveilleux ! s'exclama la mère de Dexter, dont le visage s'éclaira. Les avocats gagnent presque autant d'argent que les médecins, n'est-ce pas ?

— Evidemment, déclara Paula, avec assurance, comme si elle savait réellement de quoi elle parlait.

— Certains en gagnent même plus, précisa-t-elle.

— Mais maman, je ne crois pas que...

— Je viens d'avoir une autre idée, le coupa Paula.

Elle s'adressa à sa sœur, occultant totatement la présence de Dexter.

— Et ces types très riches, à New York. Tu sais, ceux qui travaillent à Wall Street. Dexter pourrait faire ça. Comme Donald Trump, tu vois ?

A cet instant, le programme s'interrompit, pour laisser place à la publicité. Ils passèrent le clip d'un politicien pour une campagne régionale.

— Et la politique ? dit la mère de Dexter.

— Je ne sais pas s'il y a beaucoup d'argent à faire dans ce domaine, remarqua Paula. Mais nous pourrions nous renseigner, j'ima...

— Eh ! cria Dexter, la coupant net.

Les deux femmes se tournèrent vers lui, surprises. Il sentit son visage s'empourprer.

— Vous ne croyez pas que j'ai mon mot à dire ?

— Mais bien entendu, répondit sa mère, d'un ton conciliant. Qu'en penses-tu ? Aimerais-tu être avocat ?

— Absolument pas, non, dit-il, en la fusillant du regard. Le droit ne m'intéresse pas. Aussi pourquoi choisirais-je un cursus qui ne présente aucun intérêt pour moi ?

— Parce que tu crois que cela me passionnait, moi, de travailler au drugstore ? Et pourtant j'y suis restée vingt-trois ans, rétorqua Paula, d'un air de reproche.

Atterris, mon garçon. Il arrive qu'on soit obligé de faire des choses qu'on n'aime pas trop pour survivre.

— Je le sais, admit Dexter, mais…

— Mais rien, dit sa tante, d'une voix tranchante. Tant que je paierai la note, tu ne gâcheras pas mon argent bêtement en étudiant des trucs fumeux. Ça, c'est bon pour les gosses de riches, qui ensuite peuvent vivre de leur fortune. Ce qui n'est pas ton cas.

La mère de Dexter agita les mains à leur adresse, espérant les calmer.

— Allons, allons, dit-elle. Nous pouvons régler la question gentiment…

Dexter faisait face à sa tante, la fixait d'un air mauvais. Comment avait-il pu penser qu'elle tiendrait compte de ses vœux ? Elle était bien trop matérialiste pour ça, et il le savait. Une part de lui-même aspirait à se rebeller, à lui jeter son argent à la figure, et à vivre sa vie comme il l'entendait.

Il maîtrisa cette pulsion. Se passer de l'aide financière de Paula – et se libérer de son pouvoir – lui procurerait, sur le moment, un intense soulagement. Mais ensuite, que ferait-il ?

Il retournerait à la case départ, se retrouverait coincé dans une petite ville, sans perspectives, et surtout sans Daisy.

Dexter se racla la gorge, réalisant qu'il avait été à deux doigts de tout perdre. Sa tante se montrait bête et bornée ? Sans doute, mais ce n'était pas nouveau. Il avait passé sa vie à contourner l'obstacle. Il lui fallait trouver un compromis, encore une fois. Ne le considérait-on pas comme le plus intelligent de la famille ?

— Très bien, dit-il, d'un ton égal. Je comprends. Mais on doit pouvoir gagner sa vie autrement qu'en étant médecin, avocat, ou homme d'affaires. Il y a des dizaines de métiers qui permettent d'avoir des revenus corrects.

— C'est une bonne façon d'aborder les choses, Dexy, dit sa mère, apparemment soulagée. Qu'en penses-tu, Paula ?

La grosse dame parut suspicieuse, mais accepta néanmoins d'en discuter. Ils passèrent l'heure suivante à éplucher le catalogue des cours de l'université, à voir ce qui pouvait correspondre aux capacités et aux intérêts de Dexter. Ce dernier faillit se lever et partir en claquant la porte à plusieurs reprises, surtout quand Paula l'insultait, ou dénigrait ses suggestions. Mais chaque fois, le visage rieur de Daisy le retint de commettre l'irréparable. Il pouvait se montrer fort pour elle. Pour eux deux.

— Bien, alors c'est décidé, déclara la tante, en se laissant tomber sur le canapé, qui gémit sous son poids. Tu feras des études de psychologie.

Dexter détesta la façon dont elle annonça la chose, comme s'il s'agissait d'un décret royal. Mais cette matière lui plaisait, et c'était là l'essentiel.

— D'accord, dit-il. Je ferai de la psychologie.

Sa mère frappa dans ses mains.

— Formidable ! s'écria-t-elle. Comme ça tu seras tout de même médecin, Dexy. Enfin, tu exerceras une profession qui s'en rapproche, en tout cas.

Dexter acquiesça d'un hochement de tête et sourit avec affabilité. Il ne se voyait toujours pas exerçant dans un cabinet, mais sans doute pourrait-il trouver une autre voie. Pour l'heure, il convenait de se réjouir, car il avait emporté la bataille. En effet, il n'était plus contraint, en suivant ce cursus, d'étudier les matières scientifiques les plus ardues. Il aurait donc le loisir de se consacrer à la philosophie, à la littérature, et à tout autre sujet digne d'intérêt. Et Paula n'aurait rien à dire.

« Ce n'est pas la solution idéale, admit-il, par-devers lui – il avait cédé à l'insistance des deux femmes, et renoncé à son rêve : faire des études de littérature anglaise. Mais je m'en contenterai, pour le moment. Et qui sait, je me découvrirai peut-être une passion pour la psychologie. Ce sera déjà mieux que la chimie, ou la biologie… »

— C'est exact, dit Paula, en réponse à un commentaire de la mère de Dexter. Ces psys se font des fortunes, eux aussi, à ce qu'on dit.

Elle jeta un regard à la télévision. Un avocat en grande tenue plaidait, dans une salle de tribunal.

— Et puis s'il décidait de faire du droit après, un diplôme de psychologie ne nuirait pas.

— C'est sûr, dit Dexter, quoiqu'elle ne s'adressât pas vraiment à lui.

En fait, il était prêt à se montrer conciliant, à partir du moment où on l'autorisait à laisser tomber les matières scientifiques, seule ombre au tableau d'un trimestre par ailleurs idyllique.

Paula pouvait bien avoir d'autres exigences. Il y souscrirait – du moins pour le moment.

Même s'il ressemblait de moins en moins à Super Dexter. Et de plus en plus à un lâche.

## 15

Dexter s'arrêta devant l'ouverture béante du fuselage, qui rougeoyait dans le jour finissant, telle la porte de l'enfer. Le jeune homme chassa cette image de son esprit, alluma sa lampe de poche et fit un pas en avant. Le vent tourna, souffla à travers l'épave, et revint chargé d'odeurs suffocantes – essence, nourriture avariée, chair en décomposition. Dexter eut un haut-le-cœur et se demanda s'il pouvait s'approcher davantage de cette puanteur sans vomir.

Il lui fallut près d'une minute pour dominer son malaise. Après quoi il resserra sa prise sur sa torche électrique, puis éclaira l'entrée de l'épave, afin de voir où il mettait les pieds.

Je ne veux pas de surprise, se dit-il, en se rappelant, avec horreur, la façon dont il avait buté sur le corps sans vie de Jason.

L'avion, qui s'était retourné en s'écrasant, reposait sur le toit. La soute se trouvait donc en haut, et les sièges étaient comme rivés au plafond. Des vêtements, des morceaux de métal et autres débris jonchaient le sol.

Dexter fit un premier pas à l'intérieur, puis un deuxième, tenant sa petite lampe comme un pistolet. Les mouches devaient se compter par milliers, et leur bourdonnement était si énorme, qu'il couvrait tous les bruits de l'extérieur. Les masques à oxygène pendaient toujours au bout de leurs tuyaux transparents, et Dexter se revit agrippant follement le sien, comme l'avion se crashait en hurlant. Alors qu'il continuait à avancer, il aperçut le pied d'un homme, qui dépassait de sous un chariot, parmi d'autres débris, et détourna aussitôt les yeux.

Je jette un coup d'œil et je ressors, se dit Dexter. Il respirait superficiellement, espérant, mais en vain, se protéger de la puanteur.

Plus il s'enfonçait dans le fuselage, plus il faisait sombre, et plus il avait du mal à négocier sa progression parmi les débris. Les compartiments à bagages – à présent au sol – étaient presque tous béants, et contenaient toujours des valises, et autres objets. Dexter se demanda si son sac se trouvait toujours dans le compartiment où il l'avait placé, mais ne songea même pas à le chercher. Il n'allait pas prolonger son séjour en ces lieux uniquement pour quelques chaussettes propres et du déodorant.

Comme il posait le pied sur une poutrelle, il perçut un son nouveau, outre le bourdonnement des mouches :

« Scritch, scritch, scritch. »

Il s'arrêta, le cœur battant, attendit d'entendre à nouveau le bruit. Souffrait-il d'hallucinations auditives, ou y avait-il quelque chose, là-bas, dans le noir ? Des insectes sans doute, se dit-il, ou des rats. Le fait d'imaginer ces rongeurs se baladant parmi les morts n'avait rien de réjouissant, mais d'autres scénarios lui avaient traversé l'esprit, bien plus affolants.

Ne te fais pas peur bêtement, se sermonna-t-il. Outre des milliers de mouches, des insectes rampants, quelques rats, ou des souris, la seule créature vivante, ici, c'est toi.

Il s'enfonça un peu plus dans l'obscurité ; le sol s'inclinait vers le haut à cet endroit. Dexter enjamba des débris et dut se retenir au dossier d'un siège pour ne pas glisser. Le tissu était humide, et légèrement granuleux. Il lâcha le fauteuil dès qu'il put.

« Scritch, scritch. »

A nouveau ce bruit. Plus fort, cette fois. Ou bien était-ce plus près ?

Dexter se figea sur place. Les battements de son cœur étaient tellement assourdissants, qu'il avait du mal à percevoir le léger grattement.

Il promena sa lampe de-ci, de-là, qui hélas n'éclairait pas à plus de quelques mètres. Le faisceau lumineux laissa apparaître des fragments de métal froissé, un panonceau cassé, indiquant les toilettes, des détritus variés. Ce qu'il s'attendait à trouver.

Alors pourquoi retenait-il son souffle, comme s'il craignait de voir surgir une silhouette des ténèbres ? Un homme au regard furieux, qui aurait ses traits…

Il frémit d'horreur, essayant de chasser cette image. Ce n'était ni le lieu ni l'heure de s'inquiéter de ce double mystérieux. Il explorait cet endroit sinistre uniquement pour s'assurer que Daisy ne s'y trouvait pas.

Ce qui lui rappela qu'il lui fallait chercher plus activement. Il éclaira les alentours avec sa lampe, se força à regarder les corps qui gisaient sur le sol. Ce spectacle manqua de le faire vomir à plusieurs reprises, mais il poursuivit néanmoins son inspection. En essayant de ne pas imaginer à quoi pourrait ressembler sa petite amie, s'il la retrouvait.

« Scritch, scritch, scritch. »

Dexter serra les dents, bien décidé à ne pas se laisser impressionner, cette fois. Puis sa tête heurta quelque chose et il sursauta, le cœur battant. Il imagina une main, jaillie de cet enfer, et l'attirant dans les ténèbres… Dans son affolement, il trébucha sur des débris et s'étala par terre, soulevant un nuage de poussière. Il orienta sa lampe vers le haut et vit ce qu'il avait rencontré en chemin : l'attache d'une ceinture de sécurité qui pendait du plafond.

« Bam ! »

Ce dernier bruit, plus fort que les autres, le fit à nouveau sursauter ; il faillit lâcher sa lampe. Ce n'était pas un rat…

— Qui euh… Qui est là ? bafouilla-t-il.

Il se sentit un peu bête, bien qu'il fût mort de peur. Il s'appuya sur une main, se releva lentement, tout en chassant la poussière de sa main libre.

— Il y a quelqu'un ?

— Rien que nous deux, mon vieux, répondit une voix grave, venant du fond du fuselage.

Dexter se retint de pousser un hurlement et de détaler sur-le-champ.

— Qui êtes-vous ? demanda-t-il, d'un ton sec, honteux de constater que sa voix tremblait. Qui est là ?

Il braqua sa torche électrique dans la direction d'où venait la voix. Et soudain le faisceau d'une lampe bien plus puissante s'alluma, l'éblouissant pendant quelques instants. Dexter cligna des yeux, fit instinctivement un pas de côté pour échapper à cette lumière aveuglante, et faillit à nouveau trébucher.

Un homme sauta du compartiment à bagages sur lequel il était perché. Il était grand, mince, blond; il avait un sourire sardonique. Dexter le reconnut tout de suite. Le type s'appelait Sawyer; un peu plus tôt dans la journée, Dexter l'avait surpris en train d'essayer de vendre des cigarettes à l'un des rescapés.

— Oh, c'est vous, dit-il, éprouvant un énorme soulagement. Qu'est-ce que vous faites là?

— Je pourrais vous poser la même question, remarqua Swayer, d'une voix traînante. Jack vous envoie m'espionner, ou quoi?

— Jack? répéta Dexter. Comment cela?

Swayer haussa les épaules d'un air las, puis il tira un gros sac à dos à ses pieds.

— Vous pouvez dire au doc que je suis allé en rechercher, si vous voulez, grinça-t-il. Cela m'est égal. Il n'a pas plus le droit que moi d'utiliser ce produit.

Dexter ne voyait pas de quoi Swayer voulait parler.

— Très bien, dit-il, en reculant. Dans ce cas, je ne vais pas vous déranger plus longtemps.

Sawyer le fixait avec curiosité.

— Ainsi, vous savez ce que je fais là, remarqua-t-il. Mais vous ne m'avez toujours pas dit ce que vous, vous faisiez. Vous cherchez quelque chose?

Sawyer le croyait donc au courant de ses petits trafics; Dexter ne jugea pas utile de le détromper. Et il répondit à sa question de manière elliptique.

— Rien, dit-il. Enfin, je cherchais quelqu'un, c'est tout.

Là-dessus il tourna les talons, puis redescendit la travée à la hâte, manquant de glisser sur le sol en pente.

Il contourna le chariot renversé, enjamba un tas de débris, et finit par émerger de cette atmosphère oppressante et malodorante. Dehors, la nuit tombait et l'air paraissait, en comparaison, relativement frais.

Dexter s'éloigna de l'avion sans se retourner. Il avait de la difficulté, toutefois, à chasser l'image de Sawyer de son esprit. Ces yeux brillant dans l'obscurité, qui l'avaient observé, jaugé. Ce regard cupide, sournois. Qui lui rappelait quelqu'un. Oui, mais qui ?

## 16

Dexter regarda sa tante droit dans les yeux, s'apprêtant à proférer un mensonge de plus.

— … et donc il faut que je rentre un jour plus tôt pour repasser cet oral.

Il jugea lui-même cette excuse bien banale. Ne sachant plus s'il devait se féliciter – ou s'inquiéter – de sa facilité de plus en plus grande à mentir, le jeune homme attendit de voir si Paula gobait ses dires.

La grosse dame haussa les épaules, reporta son attention sur la télévision. Elle regardait son soap opera favori, et avait mis le son à fond.

— Tu feras ce que tu jugeras bon de faire, déclara-t-elle. Mais il faudra nous revaloir ça aux vacances de Pâques, d'accord Dexy ?

— Promis, fit-il, étonné qu'elle ne se montre pas suspicieuse.

La mère de Dexter avait de même accepté son explication sans sourciller.

« Mes mensonges sont de plus en plus crédibles,

songea-t-il, en sortant de la pièce. Il faut dire que je me suis pas mal entraîné, ces derniers temps. »

Il continuait à en éprouver de la culpabilité : en s'inventant une nouvelle vie, une nouvelle réalité, il ne faisait que tricher. Cela l'indifférait de duper sa tante Paula, et ne l'ennuyait pas vraiment de raconter des choses fausses à sa mère – cette dernière lui aurait pardonné, si elle avait su la vérité, peut-être même aurait-elle compris.

En revanche, et plus le temps passait, plus le fait d'abuser Daisy lui posait un problème de conscience.

« Mais ai-je le choix ? », se dit-il. « Si je lui avais dit la vérité, nous ne serions pas ensemble, aujourd'hui. »

Dès qu'il eut regagné l'université, Dexter se sentit plus dégagé. Il avait sauvegardé son nouvel univers, et sa relation avec Daisy. Cela valait bien quelques mensonges. Un jour, peut-être, saurait-il concilier ces deux réalités. Dans l'intervalle, il lui fallait poursuivre son entreprise d'illusionniste – et espérer que la chance continuerait à lui sourire.

Or il n'allait pas tarder à la tester, et dans un domaine important – la famille de Daisy. Dexter prit une grande inspiration, puis rajusta le col de sa chemise. Il s'arrêta quelques instants dans l'entrée du restaurant italien du centre-ville, où la jeune fille lui avait donné rendez-vous. C'était un endroit chic ; elle l'y attendait avec ses parents. Bien qu'il fût très impatient de retrouver Daisy – ces trois semaines de séparation lui avaient paru interminables – Dexter était un peu nerveux à l'idée de passer la soirée avec sa famille. Qu'allaient-ils penser de lui ? Sauraient-ils le percer à jour, et voir qu'il n'était pas assez bien pour leur fille ?

— Puis-je vous aider ?

Un vieux serveur à l'air fatigué s'approcha de lui, le distrayant de ses angoisses.

— Oui, répondit Dexter, hésitant. Je… Je suis censé retrouver quelqu'un ici…

— Quel nom ? demanda le serveur, qui paraissait s'ennuyer.

— Dexter Stubbs.

L'homme haussa un sourcil.

— C'est votre ami ?

— Oh, excusez-moi ! Je pensais que vous me demandiez mon nom.

Dexter eut un sourire penaud.

J'ai rendez-vous avec les Ward.

— Oh ! Par ici, monsieur.

Le serveur se fit aussitôt doucereux, obséquieux.

Dexter le suivit jusque dans la salle de restaurant. Et repéra Daisy immédiatement. Elle était assise à une table avec un monsieur large d'épaules, aux cheveux gris acier, et une femme blonde et élégante, à laquelle la jeune fille avait toutes les chances de ressembler d'ici une trentaine d'années.

— Bonsoir, dit Dexter, d'une voix sans timbre, tout en les rejoignant.

— Dexter !

Daisy bondit de son siège et contourna la table pour l'étreindre.

— Tu m'as manqué, lui souffla-t-elle à l'oreille.

Il sentit son souffle chaud dans son cou.

Elle lui prit la main et l'entraîna vers la table.

— Papa, Maman, je vous présente Dexter Stubbs.

— Ah, Dexter, dit Mrs Ward, souriant avec grâce. Quel plaisir de vous rencontrer ! Daisy nous a tellement parlé de vous que j'ai l'impression de vous connaître.

— Je suis très heureux de faire votre connaissance, Mrs Ward, dit Dexter.

Dans l'intervalle, Mr Ward s'était levé de sa chaise. Il était très grand, et sa voix, grave, résonna dans tout le restaurant.

— Mr Stubbs, dit-il, en offrant sa main à Dexter. C'est un plaisir, jeune homme. Asseyez-vous, et faisons connaissance, voulez-vous ?

Ils échangèrent des banalités, et Dexter commença à se détendre. Les Ward étaient assez intimidants, comme il l'avait craint, mais ils se montraient également chaleureux et aimables. Mieux : ils semblaient prêts à l'accepter tel qu'il était. Rien, dans leur attitude, ne laissait supposer qu'ils pussent se méfier de lui, ou désapprouver sa relation avec leur fille.

— Vous songez donc à entreprendre des études de médecine, Dexter, déclara Mrs Ward, comme le serveur arrivait avec les entrées. Cela me paraît très intéressant.

— Euh, en fait, j'ai quelque peu modifié mes plans, avoua-t-il, vaguement gêné. Je... Je vais suivre un cursus en psychologie.

Daisy lui lança un regard surpris.

— Vraiment ? fit-elle. C'est cool. Quand as-tu décidé ça ?

— Pendant les vacances.

Dexter haussa les épaules.

— Je n'avais pas encore eu l'occasion de t'en parler. Cela s'est imposé à moi.

— La psychologie, hein ? fit Mr Ward, en levant les yeux de son assiette de pâtes. Ce n'est pas un mauvais choix. Cela peut s'avérer lucratif, à terme.

Dexter eut un sourire timide.

— Il paraît, oui.

— Je ne cesse de dire à Daisy qu'elle a tort d'étudier la littérature anglaise.

Mr Ward sala ses spaghettis, puis fit tourner sa fourchette dedans avec un art consommé, pour en extraire une bouchée.

— Elle ferait mieux de choisir quelque chose de plus concret, comme l'économie, ou le marketing. Enfin, une matière qui lui sera utile plus tard.

— L'anglais a son utilité, Papa, protesta Daisy, d'un ton légèrement embarrassé.

Elle jeta un coup d'œil à Dexter.

— Désolé, Dex. Papa a tendance a faire une fixation là-dessus.

— Il faut bien que quelqu'un te rappelle la dure réalité de la vie, ma chérie, dit Mr Ward. Il ne suffit pas de se baisser pour trouver de l'argent, tu sais. Il est important de songer à l'avenir, même si tu penses ne jamais avoir à t'inquiéter des questions matérielles.

Dexter éprouva un certain malaise. Les commentaires de Mr Ward lui rappelaient désagréablement ceux de Paula.

« Non, se dit-il. Je suis injuste, là. Mr Ward, au moins, sait de quoi il parle. Il gagne de l'argent en travaillant, pas en montant des scénarios malhonnêtes, comme Paula. »

— Dexter, dit Mrs Ward, tout sourires.

Elle se tourna vers lui, visiblement désireuse de changer de sujet. Elle tendit le bras, lui tapota le dessus de la main. Sa lourde alliance sertie de diamants lui piqua légèrement les doigts.

— Tu n'as pas beaucoup parlé de ta famille. Qui sont tes parents ?

— Hum…

Dexter s'éclaircit la voix, sentant son angoisse revenir. Mais il sut répondre de manière cohérente, débitant ses fables habituelles sur le cabinet d'avocats, qu'ils étaient censés posséder à New York, et sur leurs études, dans des universités de renom.

— Et tu sais quoi, Papa ? intervint Daisy. Je viens d'apprendre que la cousine de Dexter travaille pour une banque d'investissement. C'est cool, non ?

— Intéressant.

Mr Ward se tourna vers le jeune homme.

— Comment s'appelle-t-elle ? Il se peut que je la connaisse.

Dexter avait comme une boule dans la gorge, tout à coup. Il regretta d'avoir inventé cette histoire.

— Oh, elle vit en Suisse, aussi me semble-t-il peu probable que vous vous connaissiez. Elle s'appelle Pauline Smith.

— Pauline Smith, en Suisse, fit Mr Ward.

L'homme d'affaires réfléchit quelques instants, puis secoua la tête.

— Non, fit-il. Ce nom ne me dit rien. Mais qu'elle n'hésite pas à m'envoyer un e-mail. Je la mettrai en relation avec notre bureau de Paris. Ou de Londres, si elle préfère.

— Je ne manquerai pas de le lui dire, monsieur, déclara Dexter, soulagé de ne pas s'être trahi à cause d'un détail aussi idiot.

Il allait devoir se montrer plus vigilant, à l'avenir, mentir avec davantage de discernement. Sinon, son frêle édifice, bâti sur du vent, risquait de s'écrouler comme un château de cartes.

Le reste du repas se déroula sans accroc. Et quand le

serveur apporta l'addition, Dexter eut peine à croire à son succès. Un peu comme s'il avait mis sa nouvelle vie à l'épreuve, et s'en était tiré avec tous les honneurs.

Une fois sortis du restaurant, ils restèrent groupés sur le trottoir, pour se protéger du froid mordant de janvier. Les Ward avaient déjà déposé les affaires de Daisy à la résidence universitaire. Leur Mercedes était garée un peu plus loin, et ils n'allaient pas tarder à reprendre la route, pour rentrer en Virginie.

— Nous avons été très heureux de te rencontrer Dexter, dit Mrs Ward.

Elle prit sa main entre les siennes, gantées de cuir doux, et la serra avec chaleur.

— Très heureux, oui, renchérit Mr Ward.

Il avait bu plusieurs verres de vin pendant le dîner et sa figure s'était quelque peu colorée.

— Et je viens d'avoir une super idée, déclara-t-il. Tu pourrais passer les prochaines vacances avec nous. Nous envisageons de partir tous ensemble quelque part – sans doute à Tokyo, ou à Sydney, cela dépendra de mes affaires.

Daisy en resta bouche bée.

— Mais c'est une idée géniale, Papa! s'exclama-t-elle.

Elle se tourna vers Dexter, les yeux brillants d'excitation.

— Qu'en dis-tu?

— Euh, c'est vraiment très gentil à vous, balbutia-t-il, pris au dépourvu. Je verrai avec ma famille, et je vous tiendrai au courant.

Mr Ward acquiesça d'un hochement de tête, jeta un coup d'œil à sa montre.

— Allons-y, Alicia, dit-il à sa femme. Je ne voudrais

pas rentrer trop tard. Il faut encore que je fasse un tour au bureau…

Les dernières minutes se passèrent en embrassades et autres manifestations d'affection. Dexter resta légèrement en retrait, observant ces adieux et songeant à l'invitation de Mr Ward. Comment allait-il s'arranger de ce nouveau défi ?

Les Ward finirent par partir, laissant Dexter et Daisy seuls. Cette dernière glissa son bras sous celui du jeune homme, et se serra contre lui, claquant des dents.

— Viens, dépêchons-nous de rentrer, dit-elle. Je suis gelée !

Ils prirent le chemin du campus.

— Tes parents sont vraiment adorables, remarqua Dexter.

— Oh, tu leur as plu aussi ! Je l'ai vu.

Daisy leva la tête et lui sourit.

— Tu as conquis Papa, autrement il ne t'aurait pas invité à venir en voyage avec nous.

Elle frissonna, mais il n'aurait su dire si c'était de froid ou d'excitation anticipée.

— Ça va être génial ! reprit-elle. J'espère qu'on ira en Australie – je n'y suis jamais allée et je rêve de voir Sydney. Oh, et puis tu rencontreras Jason, mon frère aîné. Il travaille pour Papa, il n'aura donc aucun problème pour s'absenter.

Elle gloussa de contentement.

— Tu vas l'adorer – c'est un vrai boute-en-train !

Dexter s'éclaircit la voix.

— Oui, c'est tentant, admit-il, mais il faut que je voie si mes parents n'ont pas déjà des projets pour moi.

Daisy le regarda, plus attentivement cette fois.

— Oh, mais je compte sur toi pour les convaincre,

insista-t-elle. Et sache que nous manquerons sans doute quelques jours de cours. Papa tient à ce que nous passions au moins deux semaines ensemble, quand nous partons quelque part.

Elle serra plus fort le bras de Dexter contre le sien.

— Tu en parleras à ta famille, alors ? plaida-t-elle, charmeuse. Bientôt ?

— Ne t'inquiète pas, dit-il. Je trouverai quelque chose, tu peux compter sur moi.

Cette affirmation semblant la satisfaire – du moins pour le moment –, Dexter orienta la conversation sur l'université, et le trimestre qui commençait. Pourtant, l'idée de ce voyage l'obsédait, et il ne cessait d'y penser, tel un chien rongeant un os. Il lui avait déjà été difficile de quitter sa famille un jour plus tôt, aussi, comment allait-il leur présenter cela ?

« Et puis ma famille n'est pas le seul problème, cette fois, songea-t-il, comme il traversait le campus, Daisy à son bras. Il y a la sienne. J'ai réussi à les leurrer pendant une heure, à les convaincre que j'étais Super Dexter. De là à donner le change pendant deux semaines. En vivant dans l'intimité de surcroît... »

— Oh, et puis ne t'inquiète pas pour les dépenses, dit tout à coup Daisy, qui lui parlait de son nouvel emploi du temps. Papa prendra sans doute tous les frais à sa charge. Tu peux donc dire à tes parents qu'en te laissant venir, ils économiseront de l'argent !

Elle rit, ravi de son raisonnement.

Dexter se racla la gorge, réalisant qu'il n'avait même pas envisagé la question sous cet angle. Il n'avait pas le premier dollar à investir dans un voyage comme celui-là. Il n'avait même pas de passeport...

« Parfait », songea-t-il, avec ironie. « Prépare-toi à jouer sans filet. »

*
**

Durant les semaines qui suivirent, Dexter et Daisy furent submergés de travail, et ne parlèrent que rarement de leurs projets de voyage. Chaque fois que Daisy évoquait l'Australie, Dexter parvenait à se dérober. Cela dit, il n'allait pas pouvoir esquiver la question indéfiniment.

Un matin, alors qu'il se rendait au cours intitulé « Introduction à la littérature anglaise », il vit que Daisy l'avait devancé dans la salle. Il prit place à côté d'elle ; la jeune fille se pencha pour l'embrasser, comme il posait son sac au pied de sa chaise.

— Je pensais que tu ne viendrais pas, avoua-t-elle. Tu as terminé ta lecture, hier soir ?

Dexter plongea la main dans son sac à dos, en sortit son vieil exemplaire du roman de Mark Twain *Le Prince et le Pauvre*, ouvrage au programme du trimestre. Il sourit à Daisy.

— Si tu ne me distrayais pas constamment de mon travail, j'avancerais plus vite.

Elle gloussa.

— Ne me fais pas croire ça, protesta-t-elle. Tu adores que je te distraie !

— C'est bien possible, oui, dit-il, pour la taquiner.

Il posa le livre sur son bureau, se détourna pour prendre un cahier et un stylo dans son sac. Quand il se redressa, il vit qu'elle le regardait avec sérieux ; son expression enjouée s'était envolée.

— Qu'est-ce qu'il y a ? fit-il, sans comprendre. J'ai du dentifrice sur la joue, ou quoi ?

— Non, répondit-elle, sombrement. Je me disais seulement qu'on rit beaucoup, tous les deux. Et qu'on s'amuserait bien, si on partait en voyage avec ma famille.

— Oh, fit-il, gêné.

Ce brusque changement de sujet le désarçonnait. Il jeta un coup d'œil vers la porte, espérant que le professeur allait arriver, ce qui lui éviterait de répondre. Mais il ne paraissait toujours pas, et Dexter était coincé.

— Je t'ai déjà expliqué qu'il fallait que j'en parle à mes parents, dit-il, assez maladroitement.

Les yeux de la jeune fille brillèrent légèrement, et il vit, à son grand étonnement, qu'elle se retenait de pleurer.

— Tu es sûr que tu as envie de venir ? demanda-t-elle, d'une voix éteinte. Je veux dire, si tu ne tiens pas à passer autant de temps avec moi, dis-le carrément. Je préfère savoir la vérité.

— Mais non ! bafouilla Dexter, horrifié. Au contraire !

Il voulait passer le plus de temps possible avec elle. Comment pouvait-elle en douter ?

— Ne dis pas des choses pareilles, Daisy. Ce n'est pas du tout ça !

— Pourtant, tu ne montres pas beaucoup d'enthousiasme à l'idée de partir avec moi.

Elle haussa les épaules, fixa la table.

— Nous avons déjà passé les premières vacances l'un sans l'autre. Je ne voudrais pas que cela devienne une habitude, tu vois.

Dexter sentait son cœur cogner très fort dans sa poitrine, et soudain, il ne savait plus quoi faire de ses mains. Il ouvrit, puis referma le roman de Mark Twain.

— Mais moi non plus ! protesta-t-il, tout en ayant l'impression d'étouffer.

Daisy ne cessait de lui dire qu'elle l'aimait. Mais jusqu'à cet instant, il n'avait jamais vraiment osé y croire. Réalisant soudain que cela pouvait être vrai, le jeune homme était à la fois transporté, nerveux, apeuré.

— Et ne t'inquiète pas, reprit-il. Je veillerai à ce que cela n'arrive pas. Je suis sûr que mes parents comprendront.

Daisy poussa une exclamation de joie, son visage s'illumina.

— Tu veux dire que tu vas venir en voyage avec nous ? dit-elle. C'est sûr ?

— Oui, c'est promis.

Il sourit de la voir si heureuse.

Mais ce sourire s'effaça dès que le professeur entra et demanda le silence. Dexter s'était engagé à partir en voyage avec les Ward, et cette perspective le terrifiait.

« J'étais obligé d'accepter, se dit-il pour se calmer. Autrement, elle risquait de me quitter. De toute façon, je trouverai toujours une solution… »

Voyant que ses camarades cherchaient un passage précis dans leur livre, il prit le sien, et l'ouvrit à une page au hasard. Il ne comprenait rien à ce qu'il lisait, incapable de se concentrer. Il eut toutefois une pensée émue pour l'un des personnages, dont il avait lu l'histoire, la veille au soir : un fils de paysan, qui se sentait perdu parmi les riches et les privilégiés.

Puis il se souvint que la vérité avait eu un effet rédempteur, à la fin. Et cela pour tous les protagonistes de l'histoire. Etait-il en droit d'espérer qu'il puisse en être de même pour lui ?

« Ce ne serait peut-être pas si grave, finalement, que Daisy apprenne la vérité sur moi, songea-t-il, en lui lançant un coup d'œil à la dérobée. Après tout, elle m'aime… »

« Non, elle ne t'aime pas. »

Une voix intérieure, plus dure et bien plus réaliste interrompit cette douce rêverie. « Elle aime Super Dexter. Et tu ferais bien de ne pas l'oublier, si tu tiens à la garder. »

## 17

Dexter s'éloigna rapidement du fuselage, s'efforçant d'oublier tout ce qu'il avait pu voir à l'intérieur – notamment Sawyer. Mais il sentait les yeux du garçon rivés sur lui, tel un rayon laser.

« Qu'est-ce qui m'arrive ? », songea-t-il, inquiet.

Il se mit à courir le long du rivage, dépassant le campement.

« Sawyer ne m'a rien fait. Alors pourquoi m'inspire-t-il une telle peur ? »

Mais Dexter ne put se raisonner. Il pressa encore l'allure, trébucha en contournant un gros rocher, et faillit heurter le couple de Coréens, de l'autre côté. Ils levèrent les yeux sur lui, surpris. Leur dispute semblait oubliée ; ils préparaient de nouveaux sushis. La femme découpait soigneusement de petites tranches de poisson, que l'homme disposait sur un plateau.

— Excusez-moi, marmonna Dexter, dont l'estomac se souleva à la vue du poisson cru.

Le soleil couchant donnait à cette chair une teinte rosée du plus vilain effet.

— Je suis désolé !

L'homme lui dit quelque chose en coréen ; il paraissait inquiet. Cependant, même s'il s'était adressé à lui en anglais, Dexter n'aurait pu rester là et lui répondre. Car le regard de Sawyer le poursuivait toujours, depuis l'avion accidenté, et il lui fallait fuir. Fuir quelque chose de terrible. Quoi, il n'aurait su le dire, mais il craignait le pire.

— Il faut que j'y aille ! dit-il, repoussant le Coréen, qui tendait la main vers lui, visiblement alarmé. Désolé !

Dexter repartit en courant, et attendit d'être à bonne distance du couple pour jeter un coup d'œil en arrière. Ils avaient déjà repris leur activité, l'un à côté de l'autre, tête baissée. Et pendant quelques instants, Dexter les envia. Ils semblaient s'être ménagé un espace privé, organisé une vie à eux sur cette île, même en ces tristes circonstances. Et cela parce qu'ils étaient deux, et pouvaient compter l'un sur l'autre.

« Ou parce que personne ne comprend un traître mot de ce qu'ils racontent, se dit Dexter. Il se peut qu'il ne s'agisse même pas d'un couple, qu'en savons-nous, après tout ? Ce pourrait être de parfaits étrangers l'un pour l'autre, ou encore le frère et la sœur. Il se peut aussi qu'ils se haïssent, ou que ce soient des espions, complotant pour nous tuer… »

Dexter se retourna de nouveau et faillit tomber : il avait des vertiges, et des nausées. Il lui fallait se protéger de la chaleur rapidement. Il se dirigea vers la jungle, pénétra dans la fraîcheur relative du sous-bois en titubant.

Il ne tarda pas à reprendre sa course, toutefois, se

frayant un chemin dans de hautes herbes, encore humides et brillantes, car il avait plu en début de journée.

Au-delà de la clairière, s'étendait un bosquet d'arbres de taille imposante, aux troncs pâles et tourmentés. Il faisait presque nuit ici : les derniers rayons du soleil ne traversaient pas ces feuillages épais. Comme Dexter s'enfonçait dans la jungle, les traits ricanants de Swayer se brouillèrent dans son esprit, remplacés par ceux d'une énorme femme à la peau creusée de cicatrices d'acnée. Elle le fixait d'un air accusateur. « Qu'est-ce qui ne va pas chez toi, Dexter ? », lui criait-elle, dans sa tête. « Tu ne sais donc plus qui tu es ? »

— Non, marmonna-t-il, en pressant ses mains sur ses oreilles dans l'espoir de ne plus l'entendre.

Il ne voyait pas qui cela pouvait être ; il lui semblait pourtant la connaître. Ou l'avoir connue, à une époque. Ou être destiné à la rencontrer... Il était tellement perturbé qu'il ne parvenait plus à situer les événements dans le temps.

Il s'écroula au pied d'un arbre pour reprendre son souffle, essuya la sueur sur sa figure, ferma les yeux. Mais le visage de la femme reparut. Dexter rouvrit les yeux et leva la tête vers le faîte des arbres. Un trait rouge sang barrait le ciel, telle une blessure. Cette vision lui donna envie de pleurer.

« Il faut que je me ressaisisse, se dit-il, s'efforçant d'apaiser son esprit, d'en chasser ces fantasmagories. Concentre-toi, Dexter. Pense à quelque chose de simple, de réel, d'agréable... »

Et l'image de Daisy s'imposa à lui. Ce beau visage familier. Ces traits fins, ces joues pleines, ces lèvres sensuelles et bien dessinées. Mais après quelques secondes, la souriante Daisy fronça les sourcils et le toisa d'un air furieux.

Dexter eut un mouvement de recul instinctif. Cette image le choquait, l'angoissait. Et générait en lui un sentiment de culpabilité. Il se demandait pourquoi, d'ailleurs. Etait-ce lié à cette dispute, à Sydney, dont il ne pouvait se rappeler l'objet?

— Quel est le problème? demanda-t-il, s'adressant à l'image de Daisy, dans sa tête. Daisy, je t'en prie – dis-moi ce qui ne va pas, que je puisse arranger les choses. Dis-moi pourquoi nous nous sommes querellés à Sydney…

Sa voix se brisa, et il se mit à sangloter, frustré. Il savait qu'il souffrait à nouveau de déshydratation – et qu'il délirait. Mais outre les nausées, qui chaque fois accompagnaient cet état, Dexter semblait atteint de confusion mentale; il se sentait totalement perdu, désorienté.

« Dexter!… »

Une voix, ou plutôt un murmure, le fit sursauter. Voix venue de la jungle, ou sortie tout droit de son imagination? Il n'aurait su le dire.

— Daisy? souffla-t-il, hébété.

Il se releva en titubant, regarda autour de lui avec une espèce de frénésie. Etait-ce Daisy? L'avait-il enfin retrouvée?

« Dexter!… »

Le murmure se fit plus pressant.

— J'arrive, Daisy! Je suis là! hurla-t-il.

Il se mit à courir comme un fou, pénétrant plus avant dans la jungle. Il trébuchait sur des racines et des pierres, mais il se rattrapait aux arbres et poursuivait sa course. Il haletait, à bout de souffle, mais il ne pouvait s'arrêter, persuadé que Daisy l'attendait, un peu plus loin – derrière l'arbre suivant, la prochaine courbe du chemin.

Il voulait absolument la retrouver. Car elle seule saurait calmer son tourment. Il n'en doutait pas un instant.

Et soudain, au détour d'un buisson de plantes grimpantes, Dexter aperçut un éclair de cheveux blonds ; elle se tenait dans la clairière, juste derrière !

— Daisy ! bredouilla-t-il, soulagé. Daisy, c'est moi ! Attends !

Il se précipita vers elle, au comble de l'émotion. Puis il s'arrêta net, le souffle coupé. Là, devant lui, un autre homme entourait les épaules de Daisy d'un bras protecteur. Son sosie, l'autre Dexter !

— Qu'est-ce que tu fais là ? demanda ce dernier, en s'avançant vers lui.

— Je… je suis venu chercher Daisy, bafouilla Dexter. Daisy, c'est moi – Dexter !

— Non, Dexter c'est « moi », dit l'autre.

Ces mots résonnèrent de façon sinistre dans la tête du rescapé.

— Et tu ferais mieux de l'accepter, ajouta le sosie. Parce que c'est ainsi et cela ne changera jamais, quoi que tu fasses.

— Non ! s'écria Dexter, alarmé. Ne l'écoute pas, Daisy – il ment.

— Elle connaît la vérité, dit le double, calmement. Elle sait que c'est toi qui mens, pas moi. Tu es pathétique. Tu te caches derrière une fausse identité, un faux nom. Pourquoi une femme voudrait-elle d'un homme qui triche ?

— Je ne vois pas ce que vous voulez dire, protesta faiblement Dexter.

Cependant, le discours de son sosie le remplissait de honte et de mépris pour lui-même. Disait-il la vérité ? Non, c'était impossible !

— Daisy ? plaida-t-il, se tournant vers elle et lui tendant les mains. Daisy, je t'en prie…

— Qu'est-ce qui ne tourne pas rond chez toi, Dexter ?

Daisy le dévisagea avec une moue de dégoût.

— Secoue-toi, bon Dieu ! Réagis !

— Enfin, Dexter. Que t'arrive-t-il ? Elle a raison…

La voix de son double lui parvenait de façon hachée, tel un programme de radio rendu inaudible par l'électricité statique. Le sarcasme laissait peu à peu place à l'inquiétude, à l'angoisse.

— Je crois que nous ferions mieux de te ramener sur la plage, dit son sosie.

Dexter cilla, comme les traits de son reflet se brouillaient. Il le reconnaissait de moins en moins.

— Que… qu'est-ce qui se passe ? souffla-t-il.

Il posa ses mains sur ses yeux, appuya fort sur ses orbites. Des éclairs lumineux dansèrent derrière ses paupières. Puis le visage de la grosse femme reparut. Elle avait le sourire moqueur de Sawyer, et mâchait un morceau de poisson cru. D'étranges images se bousculaient dans la tête de Dexter, telles ces balles de ping-pong numérotées, qui dégringolent dans un réceptacle de verre, quand on tire la loterie, à la télé… Sa tante regardait le tirage quotidiennement, espérant que sa chance allait tourner…

« Ma tante… », songea-t-il, troublé, comme la figure

de la grosse dame s'avançait de nouveau vers lui, puis reculait. « Tante Paula... »

Dexter entendit un bruit et ouvrit les yeux juste à temps pour voir son sosie faire un pas vers lui. Il recula instinctivement, persuadé que l'autre s'avançait pour le tuer.

— Non ! s'écria-t-il, en levant les mains pour se protéger. Ne me fais pas de mal ! Je suis toi – je n'ai pas changé !

— Dexter ?

Comme l'autre garçon lui empoignait le bras, son visage parut scintiller et prit un tout autre aspect.

— Boone ? s'exclama Dexter, éberlué.

Il jeta un coup d'œil vers l'endroit où Daisy se tenait encore, quelques secondes plus tôt, et ne vit que Shannon, qui l'observait avec étonnement.

— Shannon ? Mais qu'est-ce que vous faites là, tous les deux ?

— N'essaie pas de parler, vieux.

Boone lui passa un bras autour des épaules pour le soutenir.

— Nous allons te ramener sur la plage, que Jack puisse t'examiner.

— Mais... Et Daisy...

— Attention, Boone, il va tomber !

« Daisy... » Dexter n'avait plus la force de se concentrer sur cette pensée. Il renonça, la laissant se diluer dans l'éther. Puis il s'écroula sur le bras de Boone, comme sa vision se brouillait, et qu'il perdait connaissance.

## 18

— Attention, Dexo !

Dexter s'écarta juste à temps pour ne pas prendre la canette de soda en pleine figure. Il referma sa main dessus d'un geste précis, comme Jason, le frère de Daisy, ricanait bêtement, de l'autre côté de la piscine.

— C'est vraiment puéril, Jase, lui lança Daisy, d'un ton légèrement agacé.

Elle s'assit sur sa serviette de bain.

— Tu n'es plus un gamin, tout de même !

— Oh, on peut bien s'amuser un peu, protesta Jason, adressant un sourire à sa sœur et un clin d'œil espiègle à Dexter.

Là-dessus il courut vers le bord et plongea dans l'eau bleue, éclaboussant Daisy, qui poussa un cri.

Dexter se força à rire. Ils n'étaient à Sydney que depuis deux jours, et il ne supportait déjà plus Jason. Le frère de Daisy était effectivement le joyeux drille qu'on lui avait décrit. Malheureusement, il se montrait souvent odieux. Il avait vingt-trois ans, mais semblait n'avoir jamais quitté l'âge ingrat.

Mrs Ward lui jeta un regard par-dessus ses lunettes de soleil, et changea de position sur sa chaise longue.

— Jason, dit-elle gentiment, comme la tête de son fils émergeait de l'eau, et qu'il se laissait flotter jusqu'au bord de la piscine. Ne nous embête pas, tu as compris ?

Elle reposa le magazine qu'elle était en train de lire. Puis elle se redressa sur son siège, s'étira, parcourut les lieux du regard.

— C'est une belle piscine, non ? demanda-t-elle.

— Oh oui, répondit Dexter.

La piscine, l'hôtel, tout était bien plus luxueux qu'il n'aurait pu l'imaginer. La suite qu'avait loué les Ward, et qui comptait trois chambres, était plus spacieuse que la maison de sa mère.

La pensée de sa mère lui arracha une grimace. Elle avait paru réellement triste, quand il lui avait annoncé, par téléphone, qu'il partait faire un voyage d'études à l'étranger. Ce qui lui permettrait sans doute d'obtenir un emploi lucratif, dès qu'il aurait son diplôme. Ce dernier argument avait emporté l'adhésion de Paula, laquelle avait convaincu sa sœur de le laisser partir.

« J'aurais cependant préféré ne pas avoir à leur mentir, songea le jeune homme, mal à l'aise. Il semble que je ne fasse plus que cela : tricher. »

En dépit des craintes qu'il avait pu avoir, le voyage se déroulait magnifiquement, pour le moment. A son grand soulagement, les Ward avaient insisté pour payer tous les frais, y compris le billet d'avion onéreux – en classe affaires, rien moins.

Depuis leur arrivée à Sydney, Mr Ward avait travaillé, tandis que sa famille et Dexter visitaient la ville, faisaient du shopping, bronzaient au bord de la piscine. A la fin de la semaine, les parents de Daisy se rendraient au Japon, où Mr Ward avait des affaires. Daisy, Jason – et par conséquent Dexter – avaient préféré rester en Australie, puis rentrer aux Etats-Unis de leur côté.

Dexter se réjouissait de passer quelque jours avec Daisy en toute liberté. Mais évidemment, il lui faudrait s'arranger de la présence de Jason…

Il ouvrit la boisson que lui avait lancée le garçon. Le soda, qui avait été secoué, déborda. Dexter épongea le liquide à la hâte avec sa serviette, envoyant voler son exemplaire du roman *Le Prince et le Pauvre* un peu plus loin.

Mrs Ward se pencha pour le ramasser. Elle jeta un coup d'œil à la couverture.

— Mark Twain, tiens, fit-elle. Que penses-tu de ce roman, Dexter ?

— Je le trouve très intéressant, répondit-il. Nous l'avons étudié le trimestre dernier. Mais je voulais en parler dans le devoir d'anglais que je dois rendre à notre retour. Aussi ai-je emporté le livre pour le relire.

Mrs Ward feuilleta le roman, hocha la tête.

— Moi aussi j'ai étudié ce livre à l'université, dit-elle. C'est une histoire émouvante. Ton devoir traite de quoi, Dexter ?

— Oh, Maman, fiche-lui la paix ! lança Jason, avant que Dexter ne puisse répondre.

Il était toujours dans l'eau, mais suivait la conversation depuis le bord de la piscine.

— Dexo est ici pour s'amuser, pas pour parler de l'école avec les vieux.

Mrs Ward parut blessée.

— Personne ne t'oblige à écouter, Jason, remarqua-t-elle, suavement. Désolée si je t'ennuie.

— Ça suffit, Jase, intervint Daisy.

Il y eut un moment de silence embarrassant. Dexter se sentit coupable, curieusement, bien qu'il n'eût rien fait de mal. Devait-il ignorer Jason, et répondre aux questions de Mrs Ward ? Cependant, il n'avait nulle envie de parler du roman de Twain avec elle, les rapports entre les riches et les pauvres lui apparaissant tel un terrain miné.

Mrs Ward soupira et se leva de son siège.

— Je vais aller prendre une douche, décida-t-elle. Votre père a dit qu'il rentrerait tôt pour dîner avec nous.

— On te rejoint dans cinq minutes, dit Daisy.

Dès que Mrs Ward fut partie, la jeune fille se tourna vers son frère.

— Pourquoi tu es odieux comme ça avec elle ? C'est Papa et Maman qui nous paient ces vacances, ne l'oublie pas !

Jason haussa les épaules, l'air blasé.

— Du calme, fillette. Je plaisantais. Elle le sait bien.

Daisy poussa un soupir, se leva, et rassembla ses affaires.

— Viens, Dexter, dit-elle. J'en ai assez de nager.

Deux heures plus tard, ils s'étaient tous changés, et la famille s'apprêtait à dîner, au grand complet – et de bien meilleure humeur. Tensions et mauvais sentiments paraissaient oubliés ; seul Dexter en gardait une impression de malaise. Daisy, Jason et leurs parents bavardaient gaiement, en franchissant le seuil d'un restaurant de fruits de mer, à quelques centaines de mètres de leur hôtel. On les installa à une table à l'écart des autres, dans une cour arborée, sur l'arrière.

148

— Alors jeune homme, dit soudain Mr Ward, en se tournant vers Dexter. Ça marche, la psychologie ?

Bien que cet homme se fût montré aimable avec lui, Dexter se sentait toujours un peu tendu en sa présence. Ils ne parlaient pas le même langage, semblait-il. Et chaque fois que Mr Ward s'adressait à lui, Dexter avait l'impression de perdre ses moyens.

— Très bien, monsieur, répondit-il poliment. J'adore les cours de psycho. Et le professeur est génial. Il me conseille de continuer, puis de faire de la recherche, par exemple.

— C'est bien, dit Mr Ward, en posant sa serviette sur ses genoux, mais si tu poursuis dans cette voie, choisis le secteur privé. Autrement, tu vas te retrouver coincé dans le ghetto universitaire. Or tu es un garçon brillant – tu mérites de vivre confortablement.

— Oh, Papa !

Daisy, qui avait suivi cet échange, leva les yeux au ciel.

— Ne l'écoute pas, Dexter. Pour lui, à part Wall Street, tous les milieux sont des ghettos.

Dexter eut un sourire gêné, tandis que les autres riaient, appréciant la justesse de cette remarque. Dexter songea qu'il avait bien cerné Mr Ward, lors de ce premier dîner – ses références constantes à l'argent lui rappelaient décicément tante Paula, bien qu'ils fussent différents à tous autres égards.

Mr Ward chassa une mouche qui bourdonnait sous son nez, puis jeta un coup d'œil à Jason, assis à l'autre bout de la table.

— Dommage que mon fils n'ait pas hérité de ma passion pour les affaires, remarqua-t-il. Si je l'avais écouté, il serait en train de jouer de la guitare dans un bar minable, à l'heure qu'il est. Et il habiterait une auberge de jeunesse.

— Pourquoi reparler de ça, Papa ? fit Jason, irrité. Je travaille pour ta société. C'est toi qui as gagné, O.K. ?

— Allons, allons, dit Mrs Ward, on arrête de se disputer.

Elle avait ce ton apaisant qui la caractérisait, mais on sentait qu'elle se forçait.

— Nous sommes censés nous détendre, et passer de bonnes vacances. Alors essayons d'avoir des conversations agréables, d'accord ?

Les autres se laissèrent gagner par ce ton conciliateur. Ils parlèrent des projets touristiques qu'ils avaient pour le lendemain. Et s'en tinrent à des sujets anodins jusqu'à la fin du repas. Après quoi, les aînés allèrent prendre un verre au bar de l'hôtel, tandis que Jason se mettait en quête d'une salle de jeux vidéo. Dexter et Daisy en profitèrent pour faire une promenade en amoureux dans les rues de Sydney. C'était une soirée chaude, que rafraîchissait une légère brise, et le jeune homme ne tarda pas à se sentir euphorique.

— C'est vraiment agréable, dit Daisy, au bout d'un moment.

— Oui.

Dexter jeta un coup d'œil alentour, admirant le port et les bateaux.

— Sydney est un bel endroit. Mais c'est bizarre...

Il n'acheva pas sa phrase.

— Quoi ? fit-elle. Tu veux parler de l'architecture et tout ça ?

Il haussa les épaules.

— Oui, en un sens. Quand tu te promènes en ville, et que tu passes devant cet opéra, ou que tu entends des gens parler avec l'accent australien, tu te sens vraiment dépaysé. Mais à d'autres moments, comme maintenant...

Il désigna le port alentour, les immeubles, les rues calmes.

— On pourrait se trouver dans n'importe quelle ville au monde. C'est du moins le sentiment que j'ai, tu vois.

Elle sourit.

— Je comprends ce que tu veux dire.

Dexter réfléchissait toujours à la question.

— Peut-être que les villes sont comme les gens, à cet égard, dit-il. De loin, elles paraissent différentes, mais au fond, elles se ressemblent toutes.

— Oh, mais tu deviens profond, Dexter, le railla Daisy. Tu as appris ça en cours de psychologie ?

Le jeune homme rougit, puis sourit.

— Peut-être, répondit-il, pour la taquiner.

Ils poursuivirent leur promenade dans un silence complice. Et Dexter se prit à rêver que ce moment ne se termine jamais. Le temps aurait pu s'arrêter : Daisy et lui étaient heureux ; ils se comprenaient parfaitement. Hélas, ils allaient bientôt rentrer aux Etats-Unis, reprendre les cours ; Dexter reverrait sa famille, à un moment ou à un autre...

— Au fait, je... j'aime beaucoup ta famille, dit-il. Au début, ils m'impressionnaient – ils paraissaient tellement parfaits. Puis j'ai découvert que vous pouviez vous disputer, comme tout le monde, vous dire des choses désagréables.

Daisy lui lança un regard surpris.

— Evidemment qu'on se bagarre, dit-elle. Qu'est-ce

151

que tu croyais? Je veux dire, pourquoi serions-nous différents des autres?

— Oui, bien sûr…

Et soudain, dans ce contexte idyllique, Dexter éprouva l'envie, presque irrésistible, de dire la vérité à Daisy.

« Il faudra bien tout lui avouer, à un moment ou à un autre, songea-t-il. Cette histoire de Super Dexter tient, pour le moment. Mais cela ne durera pas éternellement. »

— En tout cas, je suis très impatiente de connaître tes parents, dit la jeune fille, en lui souriant. Je veux savoir de qui tu as hérité ce joli visage, et cette personnalité charmante. On pourrait faire un tour à New York avant l'été, et dîner avec eux, par exemple.

Dexter eut un sourire contraint.

— Oui, dit-il.

Ses velléités de franchise avaient été balayées, telles des feuilles emportées par le vent.

— C'est une bonne idée, se força-t-il à ajouter.


Le dernier soir, veille du départ des Ward pour le Japon, le père de Daisy prit Dexter à part, après dîner.

— J'aimerais te dire un mot, fils, déclara-t-il, avec cet air d'autorité qui le caractérisait. Ma femme et moi quittons Sydney demain, et nous n'avons pas encore eu l'occasion de parler. D'homme à homme, je veux dire.

Dexter tressaillit. Ce préambule n'augurait rien de bon.

— Comme vous voudrez, dit-il.

Ils laissèrent Daisy, Jason et Mrs Ward quitter la salle de restaurant sans eux. Dexter sourit poliment et attendit, s'armant de courage. Sans doute allait-on l'interroger plus avant sur lui-même et sur sa famille.

Mais Mr Ward lui parla longuement de sa propre vie ; fils de diplomate, il avait passé son enfance et son adolescence dans divers pays. Il évoqua ses années d'université. Puis sa carrière dans la haute finance.

— Tu vois où je veux en venir, mon garçon ? dit-il, en jetant un regard interrogateur à Dexter.

— Hum…

Le jeune homme ne sut trop quoi répondre.

Par chance, Mr Ward enchaîna presque aussitôt.

— Tu comprends le sens de ma vie ? Pourquoi j'ai travaillé autant, acheté cette grande maison… C'était pour ma famille. Pour Alicia, d'abord, et plus tard pour Jason et Daisy. Ils comptent plus que tout au monde, pour moi. C'est pourquoi j'ai voulu leur offrir ce qu'il y avait de mieux.

Dexter ne voyait toujours pas quoi dire.

— C'est formidable, monsieur, déclara-t-il, hésitant. Je suis certain qu'ils apprécient tous ces bienfaits à leur juste valeur.

Ward hocha la tête et donna une tape amicale à Dexter.

— Moi aussi je t'apprécie à ta juste valeur, dit-il. Je suis heureux que Daisy t'ait choisi. Tu as la tête sur les épaules, et tu iras loin. J'étais un peu comme toi, dans ma jeunesse. Je sais que tu prendras soin de ma fille aussi bien que moi. Je voulais seulement te dire cela.

— Merci, dit Dexter, gêné.

Il voyait bien que Mr Ward était légèrement ivre. Une fois de plus, l'homme avait bu plusieurs verres de vin pendant le dîner. Mais son discours restait cohérent.

« Tout se résume à l'argent, pour lui, songea le jeune homme, mal à l'aise. C'est un matérialiste, et c'est ainsi qu'il a élevé Daisy. Jamais il ne pourrait m'accepter comme je suis, et peut-être que je m'illusionne, en pensant que Daisy, elle, en serait capable. »

# 19

Pendant quelques minutes, Dexter se demanda si c'était lui qui poussait tous ces gémissements. Il s'efforçait de rester conscient, comme on lui faisait boire de l'eau par petites gorgées. Il était allongé sur le dos, près d'un feu de camp. Il ouvrit les yeux et fixa le ciel. La nuit tombait; quelques étoiles piquetaient la Voie lactée.

— Bien, Dex.

Le visage de Arzt apparut en gros plan.

Le professeur se pencha sur lui, plaça le goulot de la bouteille devant ses lèvres, lui masquant le ciel étoilé.

— Essaye de boire encore un peu. C'est la seule chose qui puisse améliorer ton état, d'après Jack.

Dexter leva la tête et fit ce que Arzt lui conseillait. L'eau avait bon goût, et ces quelques gorgées suffirent à lui éclaicir les idées. Après quelques minutes, il se sentit mieux et put s'asseoir.

— Oh là, fit-il, en portant une main à son crâne.

Il avait une migraine terrible.

— Merci, mec. Je crois que la chaleur a failli me tuer, ce coup-ci.

Il y eut de nouveaux râles, et cette fois Dexter comprit qu'ils ne venaient pas de lui.

— C'est le blessé ?

Arzt fit la grimace.

— Oui. Je commence à me dire que les soins de Jack restent sans effet.

Le blessé émit une plainte affreuse. Dexter tressaillit et avala une grande gorgée d'eau, s'efforçant de ne pas écouter.

Parcourant la plage des yeux, il vit que la plupart des rescapés faisaient de même. Claire et Charlie se tenaient devant l'un des feux, tournant le dos à l'infirmerie. Boone et Shannon prenaient de ses nouvelles régulièrement, et ne jetaient que de brefs regards à la tente où reposait le blessé. Sayid, assis un peu l'écart, évitait lui aussi de regarder dans cette direction.

Dexter aperçut George, qui se dirigeait vers lui à grands pas ; un sourire éclairait son visage rougeaud. Il tenait une valise noire à la main, ce qui n'avait rien d'étonnant – il s'était chargé, dès le premier jour, de réunir tous les bagages qu'il pourrait trouver. Or il continuait à récupérer des affaires dans la jungle, et plus loin, sur la plage.

— Dexter ! lança-t-il. Tu es là, vieux. Je t'ai cherché partout.

— Eh bien tu m'as trouvé, dit Dexter, légèrement sur ses gardes comme l'homme approchait. Que se passe-t-il ?

— Cela te rappelle quelque chose ? s'écria George, en brandissant la valise.

Dans la lumière du feu, qui brûlait à proximité, Dexter reconnut son bagage.

— On dirait ma valise ! s'écria-t-il. Je n'arrive pas à croire que tu l'aies retrouvée. Moi, j'avais quasiment renoncé.

George haussa les épaules.

— Alors c'est bien la tienne. Je n'en étais pas certain. Tu vois, l'étiquette, là, sur la poignée ? Il y a écrit Dexter Stubbs. Mais j'ai pensé qu'il ne pouvait pas y avoir d'autre Dexter sur cette île.

Le jeune homme se figea. La dernière pièce du puzzle venait de se mettre en place dans sa tête.

— Dexter Stubbs ? s'écria le professeur.

Sa voix sembla se réverbérer jusqu'à l'autre bout de la plage. A moins que Dexter ne se le fût imaginé…

— Alors ton nom c'est Cross, ou Stubbs ?

— Je…

Dexter avait de nouveau la gorge sèche, mais cette fois, il pouvait boire des litres d'eau, cela n'y changerait rien. La vérité lui revenait, pleine et entière, si cruelle qu'il se demandait comment il avait pu l'occulter si longtemps.

— Je… je crois que mon vrai nom c'est Stubbs.

Il ferma les yeux. La vérité… Il se demanda s'il saurait l'assumer. Pas étonnant que j'aie voulu tout oublier, songea-t-il. Tout effacer et repartir à zéro sur cette île.

Quand il rouvrit les yeux, Boone se grattait le menton, perplexe. George et Arzt le dévisageaient avec une réelle curiosité. Du coin de l'œil, Dexter vit que Shannon venait vers lui. Claire et Charlie regardaient aussi dans sa direction, manifestement intrigués.

Dexter jeta un coup d'œil à Arzt. Le professeur le fixait d'un air méfiant, suspicieux.

157

Incapable de supporter l'humiliation plus longtemps, Dexter se releva. La tête lui tournait, mais il ne s'en souciait pas.

— Excusez-moi, bredouilla-t-il, rouge de honte. Je... Il faut que je m'éloigne un peu.

Il se dirigea vers la jungle à grands pas, sans accorder un seul regard à ses compagnons. Quelques rescapés crièrent son nom, mais il ne ralentit pas son allure. Il pénétra dans la jungle obscure et se mit à courir, butant sur des racines mais sentant à peine la douleur. Les gémissements du mourant résonnaient dans sa tête, au diapason de son humeur.

« Je ne me rendais pas compte de la chance que j'avais, songea-t-il, tout en se frayant un passage dans un bosquet de bambous. Si seulement j'étais resté en état d'amnésie... J'aurais fini par croire aux histoires que je me racontais. Et par me prendre pour Super Dexter. Du moins un peu plus longtemps... »

## 20

Dexter ferma les yeux et se laissa emporter par la musique qui pulsait, dans le night-club de Sydney. Daisy dansait à côté de lui ; ses cheveux blonds étaient trempés de sueur, un sourire extatique illuminait son visage.

— Eh mec ! cria soudain Jason dans l'oreille de Dexter, qui rouvrit les yeux. C'est super cet endroit, non ?

Dexter sourit et dressa le pouce. Il n'essaya même pas de se faire entendre dans le vacarme ambiant. C'était leur dernier soir à Sydney, et Jason avait insisté pour qu'ils aillent danser, ce qui avait tout d'abord agacé Dexter. Il avait eu l'idée d'une soirée plus romantique, en tête à tête avec Daisy. Ils auraient pu monter ensuite en haut de la tour de Sydney, admirer le point de vue.

Hélas, Dexter avait vite compris que ce rêve ne se réaliserait pas. Et puis Daisy avait paru très enthousiaste à l'idée d'aller danser, aussi s'était-il rangé à l'opinion générale sans protester. Il avait même découvert que Jason s'avérait bien plus fréquentable après avoir bu cinq ou six cocktails. Ou bien était-ce sept ? Il avait arrêté de compter, au bout d'un moment. De toute façon, Jason pourrait dormir dans l'avion, pendant le trajet de retour.

Daisy vint se coller contre lui, et cria, dans son oreille :

— C'est génial ! J'ai du mal à croire qu'on rentre demain !

Dexter acquiesça d'un hochement de tête, et déposa un baiser sur sa joue humide de sueur.

— On aura de bons souvenirs, au moins ! cria-t-il à son tour.

La jeune femme gloussa, quoiqu'il ne pût entendre son rire, vu le volume de la musique. « Je reviens », dit-elle, accentuant les mouvements de ses lèvres pour qu'il puisse comprendre, et faisant un geste en direction des toilettes. Elle se fraya un chemin dans la foule.

Dexter la suivit des yeux, puis jeta un regard à ces groupes de jeunes gens habillés à la dernière mode, qui s'agitaient en rythme autour de lui. Il songea, avec une certaine fierté, qu'un observateur extérieur n'aurait jamais deviné qu'il n'était pas issu du même milieu – et qu'un an plus tôt, il n'aurait même pas eu les moyens de payer l'entrée d'une boîte de nuit chic comme celle-ci.

Il tourna les yeux vers le mur du fond, recouvert d'un grand miroir. Il se regarda, et vit son sourire disparaître. Pendant quelques instants, le bruit de la musique s'assourdit, et Dexter ne put que fixer son reflet dans la glace, consterné. S'agissait-il d'un effet d'optique, ou bien avait-il réellement cet air sombre et inquiet ? Il se rapprocha du miroir, mais cela ne changea rien. Ce regard sournois et si peu familier était-il réellement le sien ?

— Me revoilà ! lança gaiement Daisy.

Elle venait d'apparaître à ses côtés, le tirant de sa sombre fascination pour sa propre image. Elle sautillait sur place, et lui souriait, tout excitée.

— Viens ! cria-t-elle, en lui montrant la sortie. Allons chercher Jase, et essayons un autre endroit !

Quelques minutes plus tard, ils remontaient tous trois la rue qui longeait le night-club. Dexter entendait encore la musique cogner dans sa tête, mais l'air frais de la nuit tranchait avantageusement par rapport à l'atmosphère enfumée de la boîte.

— Et maintenant, qu'est-ce que vous voulez faire ?

La voix de Jason résonna dans la rue déserte. Il était très tard, et le quartier semblait inhabité.

Daisy s'accrochait au bras de Dexter ; son corps semblait vibrer d'énergie.

— Et si on essayait le club dont nous a parlé cette fille ? Cela avait l'air bien.

— Tu te souviens où c'était ? demanda Dexter, en réprimant un bâillement.

Les effets de l'alcool se dissipant rapidement, la fatigue lui tombait dessus.

— Moi, je ne m'en rappelle plus, dit-il.

— Ce devait être au prochain coin de rue, dit Jason. On va continuer un peu, et puis… Eh, vous avez vu ce type ?

Dexter suivit le regard de Jase et vit un jeune homme grand et mince venir vers eux. Il portait un short et un T-shirt crasseux, et une vieille paire de tongs qui semblaient trop petites pour lui. Il tenait un chapeau de paille à la main.

— Salut la compagnie ! lança-t-il, quand il se fut rapproché d'eux.

161

Il leur tendit son chapeau.

— Vous auriez une petite pièce ?

Jason adressa un sourire complice à Dexter – un mauvais sourire.

— Cela dépend, répondit-il.

Il fit jouer les articulations de ses doigts et s'avança d'un pas vers le mendiant.

— Une pièce en échange de quoi ?

— Ecoutez, je ne cherche pas les ennuis, dit le jeune homme, levant les mains en signe de reddition. Si vous n'avez rien pour moi, j'irai mon chemin.

— Oui, cela me semble être une meilleure idée, approuva Jason, d'un air méprisant. Va donc traîner tes guêtres et ta puanteur ailleurs, qu'on puisse terminer la soirée agréablement.

Cette dernière remarque choqua Dexter. Le fait que Jason fût riche, et privilégié, ne l'autorisait en rien à se montrer offensant envers ce pauvre garçon.

— Ça suffit, mec, dit-il d'un ton sec.

Il plongea la main dans sa poche, en ressortit un billet froissé, et eut l'impression, très étrange, de rejouer une scène du *Prince et le Pauvre*.

— Tenez, mon vieux. C'est tout ce que…

— Dexter ! hurla Daisy. Attention !

Dexter jeta un coup d'œil par-dessus son épaule, et vit un poing voler vers lui. Il se baissa, esquivant en partie le coup, qui l'atteignit tout de même en pleine joue, et l'étourdit. Comme il s'efforçait de rester debout, il eut vaguement conscience que Daisy poussait des cris affolés, tandis que son frère insultait quelqu'un.

Le temps que Dexter retrouve ses esprits, tout était terminé.

— Par où sont-ils partis ? enragea Jason, les poings

serrés. Ils ont intérêt à courir vite, s'ils veulent rester en vie !

Daisy s'accrochait à la chemise de Dexter et lui caressait le visage du bout des doigts.

— Ça va, Dexter ? sanglota-t-elle. Tu m'entends ?

— Oui… je crois que ça va.

Dexter se secoua, chassant un dernier vertige.

— Que s'est-il passé ? demanda-t-il.

— Ce type est arrivé derrière moi et m'a arraché mon sac, expliqua Daisy. Je pense qu'il voulait aussi te voler ton portefeuille, mais tu as réagi à temps.

— Il devait travailler avec ce mendiant, intervint Jason. Ils se sont séparés dès que j'ai commencé à riposter.

Jason lança un regard furieux autour de lui, mais son expression s'adoucit dès qu'il reporta son attention sur sa sœur.

— Ça va, Daisy ?

— Oui, dit-elle, d'une voix déjà plus apaisée. Pour ma première agression, je crois que je ne m'en suis pas trop mal tirée.

Elle eut un petit rire forcé.

— L'important, c'est que nous ne soyons pas blessés.

— Ton passeport n'était pas dans ton sac, j'espère ? s'enquit Jason.

Daisy secoua la tête en signe de dénégation.

— Non, grâce au ciel, je l'ai laissé à l'hôtel. Mais j'avais tout mon liquide et mes cartes de crédit sur moi.

Elle soupira, visiblement contrariée.

— C'est ennuyeux. Il va falloir faire opposition sur les cartes immédiatement.

Jason haussa les épaules.

— Oui. Mais ton petit ami est là, heureusement. Il va pouvoir nous dépanner. Autrement, on aurait été obligés de faire du stop pour aller à l'aéroport demain.

— Comment ça ? s'enquit Dexter, sentant la panique le gagner.

Jason eut un sourire penaud.

— Je comptais sur Daisy pour m'offrir un petit déjeuner et régler le taxi, avoua-t-il. J'ai payé toutes les consommations, et je suis complètement à sec.

Il donna une tape fraternelle sur l'épaule de Dexter.

— Mais tu m'avanceras bien quelques dollars ? Ce n'est pas à fonds perdus, tu le sais.

Dexter adressa un faible sourire à Jason, masquant son effroi du mieux qu'il put. Après avoir investi dans une nouvelle valise, payé le passeport et divers frais, il n'avait quasiment plus un sou sur son compte.

Comme ils rentraient à pied à l'hôtel, situé assez loin du night-club, Dexter se livra à des calculs désespérés, pour savoir s'il lui restait assez d'argent pour payer le taxi et les petits déjeuners.

« Non, fut-il obligé d'admettre, le cœur battant. Je n'aurai pas assez. Ils dépensent sans compter. Ils ne comprendront jamais que je leur impose un budget. A moins que je n'avoue tout... »

Il vit l'enseigne de leur hôtel briller au loin. Comme Jason pressait le pas, et promettait d'appeler la police, Dexter se sentit gagné par des sentiments qu'il ne connaissait que trop bien : défaite et résignation. Il prit Daisy par le bras, la pria de s'arrêter.

— Ecoute, dit-il.

Il avait l'impression d'être à nouveau au lycée : les gosses de riches l'avaient coincé, ils allaient le rosser.

Et mieux valait l'accepter, car il n'avait pas d'autre choix.

— J'ai quelque chose à te dire.

— Ça ne peut pas attendre une seconde ? demanda-t-elle, d'un ton distrait. Il faut que j'accompagne Jason, pour pouvoir dire aux flics ce qu'il y avait dans mon sac.

— Non. Cela ne peut pas attendre, répondit-il, d'un ton sinistre.

Daisy s'arrêta et le regarda, étonnée.

— Qu'y a-t-il, Dexter ?

Il prit une profonde inspiration.

C'est à cause de cette histoire d'argent, dit-il. Je ne suis pas vraiment le garçon que tu crois...

Dès qu'il eut trouvé le courage de prononcer ces mots, le reste sortit d'un coup – le procès qu'avait gagné sa tante, son milieu calamiteux, le fantasme de Super Dexter. Cela lui fit presque du bien de parler.

Presque...

— Tu... tu m'as menti ?

Daisy le dévisageait, à la fois furieuse et dévastée.

— Je suis désolé, dit-il.

Il aurait donné n'importe quoi pour qu'elle le regarde à nouveau avec amour.

— Mais cela ne change rien pour nous. Je suis toujours la même personne. Je...

Elle secoua la tête, des larmes ruisselaient déjà sur ses joues.

— Non, en fait, je ne sais pas qui tu es, dit-elle, d'une voix légèrement tremblante. Ou peut-être que c'est toi qui me connais mal. Cela m'aurait été égal que tu sois pauvre, Dexter. Parfaitement égal. Mais je ne peux pas accepter le fait que tu m'aies menti...

Sa phrase s'acheva dans un sanglot. Daisy tourna les talons et partit en courant vers l'hôtel. Il fit quelques pas derrière elle puis il s'arrêta, se sentant totalement impuissant à réparer les choses. A quoi cela servirait-il d'essayer de s'expliquer? Elle avait décidé qu'il avait trahi sa confiance, et elle n'en démordrait pas.

« Et elle a raison, songea-t-il, déprimé. Le pire, c'était de mentir. Elle a absolument raison. »

# 21

Quand il fut certain que personne ne le suivait, Dexter cessa de courir. Il jeta un coup d'œil alentour. La nuit tombait rapidement dans la jungle, et il regretta de ne pas avoir emporté de lampe. Par chance, la clarté de la lune et des étoiles s'avérait suffisante pour se repérer.

Il s'arrêta dans une petite clairière, s'adossa au tronc d'un palmier. Il se prit la tête dans les mains et laissa échapper un gémissement. Qui se mêla à ceux du blessé, encore vaguement audibles à cette distance.

« Comment puis-je avoir oublié ? », se demanda-t-il, sombrement. « Je me suis abusé moi-même, pour croire à mes propres mensonges… »

— Peut-être parce que tu avais envie d'y croire.

— Qui êtes-vous ?

Stupéfait, Dexter releva la tête et cilla, cherchant à discerner une silhouette dans l'obscurité.

— Qui est là ?

Un homme émergea du sous-bois, à l'autre extrémité de la clairière. Dexter crut tout d'abord qu'il s'agissait de Boone, et son cœur s'attendrit à cette pensée. Cela voulait-il dire que Boone était venu le chercher ? Et qu'il ne serait pas considéré comme un paria par les rescapés ?

Puis l'homme s'avança et Dexter vit qu'il était un peu plus jeune que Boone, et un rien plus petit. Ses cheveux étaient plus clairs, ses yeux plus foncés, son menton et son nez moins proéminents…

Le cœur de Dexter se mit à cogner dans sa poitrine.

— C'est… c'est toi ? s'enquit-il. Je veux dire, « moi » ?

La tête lui tournait un peu. Il lui semblait que son esprit flottait dans l'éther, comme s'il s'était détaché de la réalité. Mais l'homme, lui, paraissait bien réel. On entendait des brindilles craquer sous ses pas, on voyait l'herbe se coucher, alors qu'il avançait vers Dexter.

— Tu sais qui je suis.

L'homme se plaça dans un rayon de lune.

Dexter le fixa. Une fois de plus, il nota que son double portait des vêtements un peu râpés, et qu'il n'avait pas tout à fait les mêmes cheveux que lui. Pourtant, cette coiffure lui semblait familière…

— Tu es Dexter, oui, souffla-t-il. Mon vieux moi.

— Ton « vrai » moi, rectifia son sosie, d'un ton accusateur. Celui que tu as voulu oublier le jour où tu as pu disposer de cet argent. Celui dont tu as honte, même s'il n'a rien fait de mal.

Dexter secoua la tête.

— Mais non, protesta-t-il faiblement. Je… j'ai cru agir au mieux pour nous sortir de là. Pour me sortir de là.

De nouveau la tête lui tourna, et il se demanda s'il ne délirait pas. Boone et Shannon étaient-ils réellement venus le chercher, Arzt s'était-il vraiment occupé de lui ? Ou bien avait-il tout imaginé ? Il se pouvait qu'il fût encore dans cet avion, sur le point de se crasher. Et que son esprit lui jouât un tour.

Curieusement, cette pensée lui donna du courage.

— Qu'est-ce que tu veux ? demanda-t-il à l'autre Dexter, d'un air de défi.

— Te rappeler d'où tu viens. Et qui tu es.

— Mais je le sais.

Cette fois, Dexter avait parlé d'un ton plus ferme.

— J'y pense tous les jours. Comment pourrais-je l'oublier ?

— Tu m'as bien oublié, moi !

— Comment cela ?

Dexter porta une main à son front ; elle lui parut moite, et tremblante.

— De quoi parles-tu ?

— Je parle de « toi », Dexter « Cross ».

Son double s'était exprimé d'un ton méprisant.

— Tu as oublié l'existence de Dexter Stubbs.

— Parce que je souffrais de déshydratation, se défendit Dexter.

— Exact. Mais est-ce la raison pour laquelle tu n'as jamais dit la vérité à Daisy ? Elle te faisait confiance !

— Je sais…, souffla Dexter.

Il se souvint à quel point Daisy avait paru blessée, quand il lui avait avoué la vérité, et il eut l'impression d'étouffer.

— Tu ne méritais pas une fille comme elle, et tu le sais.

Dexter n'avait rien à répondre à cela. Il se sentait épuisé, tout à coup.

— Ecoute, mec, dit-il, d'un ton las. Qu'attends-tu de moi ?

— Je veux…

L'autre Dexter s'interrompit.

— Je veux…

BANG !

Dexter sursauta et fit volte-face. Etait-ce un coup de feu ? Quoi qu'il en soit, la détonation venait de la plage. Il regarda fixement dans cette direction, bien que des feuillages denses le séparassent du rivage, sur plusieurs centaines de mètres.

— Tu as entendu ça ? demanda-t-il, en se retournant. Tu crois que c'était…

Il s'interrompit en voyant que son double avait disparu.

— Eh ! lança-t-il. Attends !

Son sosie était-il réellement sorti du sous-bois ? Cela le préoccupait davantage, tout à coup, que de savoir ce qui s'était passé sur la plage. Dexter se précipita à l'endroit où s'était tenue la silhouette. Se laissa tomber à genoux.

« Des empreintes, songea-t-il, fébrile. Il devrait y avoir des empreintes… »

Il scruta le sol, mais la pâle clarté de la lune ne lui permettait pas de s'en assurer. Il passa les doigts sur la terre meuble, tâtonna, cherchant de petits creux.

« Mais qu'est-ce que je fais ? », se dit-il, au bout d'un moment.

Il interrompit ses recherches et s'accroupit. « Qu'est-ce que j'espère trouver ? »

Il se remit debout, se sentant bien bête, tout à coup. C'est alors qu'il entendit des brindilles craquer, des branches bouger : quelqu'un se déplaçait dans la jungle !

Dexter redressa les épaules, et prit une grande inspiration, se préparant à affronter de nouveau son double.

Au lieu de quoi il vit Kate paraître. Elle portait une longue chemise blanche, qui luisait sous le clair de lune.

— Oh ! s'exclama-t-elle, manifestement surprise de le trouver là. C'est toi, Dexter ? Excuse-moi, je ne savais pas que...

Elle n'acheva pas sa phrase, détourna les yeux. Dexter sentit son visage s'empourprer. Savait-elle la vérité sur lui ? La nouvelle avait-elle déjà fait le tour du camp ?

Puis il réalisa qu'elle reniflait.

— Qu'y a-t-il ? demanda-t-il, oubliant momentanément ses problèmes.

— Ça va passer, bredouilla-t-elle. Le marshall...

— Le quoi ?

— Le type, dans la tente.

Kate avait une toute petite voix.

— Il...

Dexter jeta un regard en direction de la plage, et comprit.

— Oh. Ce coup de feu. Le blessé... est-il...

Kate leva brièvement la tête, le temps d'acquiescer. Même dans l'obscurité, il vit que ses yeux brillaient de larmes.

Elle avait sans doute été davantage en contact avec cet homme que les autres rescapés. Mais quoi qu'il en soit, sa mort l'avait profondément affectée.

— Enfin, dit-elle.

Elle renifla, s'essuya le nez du revers de la main.

— J'avais juste besoin de m'échapper quelques minutes. A plus tard.

Elle traversa la clairière, s'enfonça dans la jungle. Dexter faillit la laisser partir. Après tout, Kate semblait être l'une des personnes les plus équilibrées, parmi les survivants. Comment pouvait-il espérer l'aider, étant lui-même très perturbé ?

Cependant, quelque chose, en lui, l'obligea à intervenir.

— Tu veux en parler ? lança-t-il, dans les ténèbres.

## 22

Dexter arriva dans le hall de l'hôtel à bout de souffle. Des éclairs de couleur apparaissaient à la périphérie de son champ de vision : il souffrait de déshydratation. L'alcool, la chaleur, et l'afflux d'adrénaline dans son sang – tout jouait contre lui. Mais il n'avait pas le temps de s'inquiéter de cela. Il lui fallait d'abord trouver Daisy.

« Je ne veux pas qu'elle me quitte, songea-t-il, les yeux brillant de larmes. Je ne m'en remettrai pas. Il faut que nous parlions. Qu'elle m'écoute… »

Il avait vaincu sa passivité, et ne pensait plus qu'à une chose : convaincre Daisy de lui donner une seconde chance. Trop anxieux pour attendre l'ascenseur, Dexter prit l'escalier, monta les marches quatre à quatre. Quelques minutes plus tard, il faisait irruption dans la suite des Ward.

— Daisy ! cria-t-il, d'une voix rauque.

Il courut jusqu'à leur chambre, tambourina à la porte.

— Daisy, il faut qu'on…

Il se tut, comme la porte s'ouvrait, sous l'impact de ses poings. Dexter fit un pas en avant, parcourut la pièce des yeux.

— Daisy ?

Elle était passée là avant lui, de toute évidence. Ses bijoux et ses produits de beauté ne se trouvaient plus sur la commode, et ses chaussures, qu'elle alignait contre le mur, sous la fenêtre, avaient disparu. La penderie était ouverte, et vide ; plusieurs cintres oscillaient encore. Dexter avait dû la manquer de peu.

Il se laissa tomber sur le lit, oppressé. Ainsi elle était partie. Dexter jugea inutile d'aller voir si Jason avait emporté ses bagages. Le silence qui régnait dans les lieux était suffisamment éloquent.

Il s'allongea sur le ventre, enfouit son visage dans le couvre-lit, espérant retrouver l'odeur de Daisy. Mais les employées de l'hôtel avaient bien fait leur travail, et il ne détecta qu'une vague odeur de lessive.

Pendant quelques minutes, ce sentiment d'impuissance qui avait pesé sur son enfance, puis son adolescence, resurgit, le clouant sur le lit. Et maintenant, qu'allait-il faire ?

« Le vol ! »

Ses yeux s'ouvrirent, une petite étincelle d'espoir fit vibrer son cœur. Il avait failli oublier : ils devaient quitter l'Australie en fin de matinée, effectuer un long voyage en avion à destination des Etats-Unis. Mr Ward avait réservé trois places pour eux avant de partir au Japon. Daisy allait donc se retrouver assise à côté de lui pendant la majeure partie de la journée.

« Cela devrait me donner le temps de la ramener à de meilleurs sentiments, songea-t-il, avec une ironie désabusée. J'espère que... »

Il ferma les yeux, serrant toujours l'oreiller contre lui. La journée s'annonçait longue, difficile. Mieux valait essayer de dormir quelques heures.

*
* *

— Merci d'avoir choisi Oceanic, monsieur. Bon voyage !

— Merci.

Dexter prit la carte d'embarquement que lui tendait l'hôtesse, et s'engagea sur la passerelle. Il était arrivé très en avance à la porte 23, n'ayant rien de mieux à faire pendant la dernière matinée qu'il passait en Australie. Assis sur un siège inconfortable, dans la salle d'attente, il avait guetté l'arrivée des autres passagers. Diverses personnes avaient retenu son attention : un vieil homme chauve, dans un fauteuil roulant ; une jeune femme dont la grossesse semblait trop avancée pour qu'elle prenne l'avion ; et enfin un homme d'origine arabe, qui n'avait cessé d'attirer des regards suspicieux.

Mais il n'avait aperçu ni Daisy, ni son frère. Dexter avait embarqué à la dernière minute, espérant les voir arriver in extremis. Et finalement, il s'était résolu à rejoindre l'avion.

« Il se peut que je les ai ratés quand je suis allé aux toilettes. Ou acheter cette bouteille d'eau, se dit-il, tout en saluant les hôtesses d'un hochement de tête. La plupart des passagers embarquaient déjà, quand je suis revenu de la cafétéria. On a pu se manquer bêtement. »

Pendant quelques secondes, il se prit à espérer qu'il allait trouver Jason et Daisy assis sur leurs sièges, dans la rangée qui leur était réservée. Cependant, leurs fauteuils étaient inoccupés. Il ouvrit le compartiment à bagages, y rangea son sac. Ce faisant, il jeta un coup d'œil à l'intérieur de l'avion. C'était un très gros porteur, et de l'endroit où il se trouvait, Dexter ne pouvait discerner les visages des passagers déjà installés au fond.

« Et s'ils avaient changé de place pour ne pas se retrouver assis à côté de moi ? », se dit-il. « Après tout, ils ont bien trouvé un autre hôtel, afin d'éviter toute confrontation. Et puis il doit rester des sièges de libres, dans l'avion. Aussi auraient-ils pu faire l'échange facilement, même au dernier moment. »

Dexter s'assit dans le fauteuil du milieu, laissant spontanément à Daisy la place à côté du hublot. Il se mit à pianoter sur l'accoudoir, tout en fixant la tablette amovible, sur le dossier du siège, devant lui, et en s'interrogeant sur la suite des événements.

Plus il y songeait, plus il lui semblait évident que Daisy avait demandé une autre place. Cela lui paraissait logique, la connaissant. Aussi n'aurait-il qu'à descendre la travée, vers le fond de l'avion, pour la repérer.

Mais le temps qu'il trouve le courage d'agir, le personnel de bord fermait les derniers compartiments à bagages, et priait les passagers de bien vouloir attacher leurs ceintures. Dexter allait devoir attendre qu'ils aient décollé avant d'entreprendre ses recherches.

Comme la porte de l'avion se refermait, le jeune homme s'appuya contre le dossier de son siège. Et soudain, son estomac émit un gargouillis si sonore, que l'homme assis de l'autre côté de la travée lui lança un regard surpris, avant de reporter son attention sur son livre. Dexter prit la bouteille d'eau, qu'il avait laissée sur le siège d'à côté, et but une longue gorgée. Il n'avait pas osé acheter quoi que ce soit à manger, sachant qu'il aurait besoin de ses derniers dollars pour payer le trajet en taxi jusqu'à l'aéroport. Il s'était contenté du sachet de chips entamé que Jason avait laissé dans la suite, à l'hôtel.

« Dès qu'on a décollé, je vais voir si elle est là, se promit-il, tout en rebouchant la bouteille d'une main tremblante. Elle doit bien être quelque part – ils ont dit qu'il n'y avait pas d'autre vol avant demain. »

Il vit alors qu'on s'agitait du côté de la porte ; une hôtesse la rouvrait. Dexter sentit son cœur cogner dans sa poitrine. « Daisy... », se dit-il, au comble de l'émotion.

Mais ce fut un jeune homme corpulent qui pénétra dans l'appareil. Il avait les cheveux trempés de sueur, il soufflait comme un bœuf, mais un grand sourire illuminait son visage, comme s'il venait de gagner à la loterie. Quoique très angoissé, Dexter ne put s'empêcher de sourire à sa vue. Le jeune type levait le pouce en signe de victoire, chaque fois qu'il passait à hauteur d'un enfant.

Dès que le retardataire se fut assis, toutefois, le sourire de Dexter s'envola. Il jeta un regard au siège inoccupé, à côté du sien. Un steward refermait la porte, et pour de bon, cette fois.

« Si ça se trouve elle est déjà là, songea-t-il. Elle était assez furieuse après moi pour décider de voyager en classe touriste. »

Il dut patienter, alors que l'avion avançait lentement sur la piste, attendant l'autorisation de décoller. Il ferma les yeux, comme le Boeing s'élevait en grondant dans le ciel, et oublia la petite prière qu'il récitait habituellement, tout occupé par la pensée de Daisy.

Quand le commandant de bord éteignit les signaux lumineux invitant les passagers à rester assis, les hôtesses commençaient déjà à servir des boissons. Et lorsque Dexter voulut se lever, il vit que leurs chariots bloquaient les allées.

« Je ferais peut-être mieux d'attendre qu'elles aient fini, se dit-il. Ce n'est plus à quelques minutes près. »

Le vol allait durer des heures. Dexter aurait donc tout loisir d'arranger les choses avec Daisy avant l'escale de Los Angeles. Mieux valait peut-être lui laisser le temps de se calmer, avant d'essayer de lui parler.

Il éprouva un certain soulagement à la perspective de différer la confrontation. Ou bien ne faisait-il que se trouver de bonnes raisons pour temporiser ? Il lui était difficile de ne pas se considérer comme un lâche.

« Ne serait-il pas plus simple d'oublier tout cela ? », lui souffla une petite voix, dans sa tête. « Il y a d'autres filles, à l'université. Tu pourrais tenter ta chance avec l'une d'entre elles. Ou t'inscrire à un cours de plus, le trimestre prochain, afin de t'occuper l'esprit. Et d'oublier les filles, pendant quelque temps. Peut-être n'es-tu pas fait pour le bonheur, après tout… »

— Quelque chose à boire, monsieur ?

Dexter tourna la tête, et vit qu'une jolie hôtesse lui souriait.

— Oh, bredouilla-t-il. Euh, non merci, non.

Elle poursuivit son chemin, laissant Dexter à ses tristes pensées. Il se projeta dans l'avenir et se vit, vêtu d'une blouse blanche, écouter tout un défilé de personnes atones et insatisfaites, se plaindre de leurs problèmes.

Après quoi il regagnerait son petit appartement, triste et solitaire…

« Non ! », se dit-il, révolté à cette pensée. « Tel n'est pas nécessairement mon destin. Je peux encore arranger les choses. Il faut seulement que je trouve Daisy. »

Il allait détacher sa ceinture de sécurité, quand quelqu'un remonta la travée, derrière lui, et se laissa tomber sur le siège contigu au sien. Stupéfait, Dexter jeta un coup d'œil au nouveau venu.

— Salut, lança Jason, sans sourire. Quoi de neuf, mec ?

— Pas grand-chose, répondit Dexter, prudent. Où étiez-vous passés ? Quand je ne vous ai pas vus arriver…

— Arrête les frais, vieux.

Jason avait le visage blême et bouffi – les excès de la veille, le manque de sommeil. Il tira sur l'ourlet de son grand tricot.

— Je suis venu te dire que Daisy ne souhaite pas te revoir.

— Où est-elle ? s'enquit Dexter.

Jason haussa les épaules.

— Très franchement, mec, je n'en sais rien. Je ne suis pas certain qu'elle soit dans l'avion. Elle a changé nos places, et on s'est retrouvés séparés ; on nous a installés dans deux parties différentes de l'avion. Et puis au moment d'embarquer, elle m'a demandé d'y aller le premier.

Jason poussa un soupir.

— Sans doute est-elle revenue sur sa décision de voyager en classe touriste. Et je pourrais difficilement le lui reprocher. Ça craint, là-bas. Merci beaucoup, mec.

Dexter ouvrit la bouche, prêt à proposer son siège

à Jason. Il n'appréciait pas vraiment ce garçon, mais c'était le moins qu'il puisse faire, vu les circonstances.

Mais avant qu'il put parler, Jason s'était levé, et éloigné. Dexter se laissa retomber dans son fauteuil, totalement découragé par ce qu'il venait d'apprendre.

« Qu'est-ce que tu croyais, mon garçon ? » La voix de sa tante résonna dans sa tête, railleuse. « Les gens comme nous n'ont pas droit au bonheur. Tu devrais l'avoir compris, ou alors tu es moins intelligent que tu en as l'air. »

Il s'aperçut alors qu'il serrait si fort les accoudoirs de son siège, que les jointures de ses doigts avaient blanchi. Pourquoi sa tante était-elle aussi négative ? Pire : pourquoi l'avait-il laissée induire ces tristes sentiments en lui sans réagir, depuis toutes ces années ? Car il était aussi défaitiste qu'elle, au fond. Sans doute avait-il un physique agréable, mais sinon, il lui ressemblait terriblement. Pendant quelques mois, il lui avait semblé se libérer de cette malédiction, en créant ce personnage de Super Dexter, en s'inventant une nouvelle vie. Mais n'était-ce pas la preuve qu'il avait honte de ce qu'il était vraiment ? Pourquoi s'était-il avéré incapable d'accorder sa confiance à Daisy, et à ses amis d'université ? Pourquoi avait-il pensé qu'ils ne pouvaient l'aimer pour lui-même ?

Dexter n'aurait su dire combien de temps il ressassa ces sombres pensées, combien de temps il se tortura avec un sentiment de culpabilité cuisant. Lâcheté, passivité, désespoir le clouaient à son siège, et le rendaient malade.

Il finit par comprendre que son salut était dans l'action. Sa double vie n'étant plus un secret pour Daisy, il lui fallait tout dévoiler. Les choses n'auraient pu continuer longtemps ainsi, de toute façon.

Sa passivité le quitta d'un coup, une détermination sans faille sembla soudain l'habiter. Quoi qu'il arrive avec Daisy, il ne pourrait désormais qu'aller de l'avant.

« Dès que je rentre à la maison, je règle la question, se dit-il, sachant qu'il n'allait ni se soumettre ni changer d'avis. Je vais d'abord avoir une conversation sérieuse avec Maman et tante Paula. Et si elles refusent de me laisser étudier la matière de mon choix – si elles m'empêchent de prendre ma vie et mon avenir en main – je romps définitivement avec elles. Je rendrai l'argent, et me débrouillerai seul pour subvenir à mes besoins. »

Il se sentit angoissé à cette pensée, mais également rasséréné. Il avait toujours vécu dans la peur et la soumission. Or c'était terminé.

Dexter éprouva un sentiment de libération, ce qui lui donna le courage de prendre une autre décision : « Je ferai en sorte d'avoir une explication avec Daisy, se promit-il. Et elle m'écoutera, quoi que puisse en dire Jason. Elle me doit bien cela. Et puis j'ai le droit à la parole. »

En dépit de sa résolution toute neuve, Dexter tressaillit à l'idée d'affronter la jeune femme. Il respira profondément pour se calmer, jeta un coup d'œil derrière lui. Assez atermoyé, songea-t-il. Il allait inspecter cet avion rangée par rangée, afin de savoir si elle était là, ou pas. S'il la trouvait, il allait lui parler. Et il ne se tairait qu'après lui avoir dit tout ce qu'il avait à lui dire. Et s'il ne la trouvait pas, il attendrait d'avoir regagné l'université pour avoir une explication avec elle.

« Je comprends qu'elle soit furieuse après moi,

songea-t-il. Mais Daisy est quelqu'un de sensé. Si je lui raconte tout, si je lui explique pourquoi j'ai été amené à faire cela, si je lui parle de la vie que je menais avant de la connaître… Peut-être pourrais-je arranger les choses entre nous. »

La perspective de tout lui dire – plus de secrets, plus de cachotteries, cette fois – l'effrayait quelque peu. Mais lui donnait également le sentiment d'être courageux.

Il défit sa ceinture de sécurité et se leva, baissant la tête pour ne pas se cogner en gagnant la travée.

Là-dessus l'avion piqua du nez. Tout l'intérieur vibra, les armatures métalliques grincèrent de façon sinistre.

— Waouh ! marmonna Dexter.

Son front avait heurté le compartiment à bagages. Il vit trente-six chandelles et s'agrippa au siège, pour ne pas s'écrouler dans la travée.

Le signal lumineux enjoignant les passagers à attacher leur ceinture s'alluma avec un « ping », et la voix rassurante d'une hôtesse se fit entendre dans les haut-parleurs.

— Mesdames et messieurs, le commandant de bord vous prie d'attacher vos ceintures de sécurité…

Dexter se laissa retomber dans son fauteuil, frotta la bosse qui se formait sur son crâne. Ces secousses brutales l'avaient choqué, mais sa détermination restait totale : il se promit de trouver Daisy dès qu'ils seraient sortis de cette zone de turbulences.

## 23

— Merci de m'avoir écoutée.

Kate lança un bref regard à Dexter, et eut un petit sourire triste.

— Tu es quelqu'un à qui on se confie facilement.

— Mais je t'en prie.

En réalité, c'était surtout Dexter qui avait parlé. Mais il se garda de le mentionner. Kate lui avait seulement dit qu'il y avait une arme sur l'île, et que quelqu'un s'en était servi pour mettre fin aux souffrances du mourant, sur la demande de celui-ci.

Après quoi la jeune femme avait prestement changé de sujet, s'inquiétant de savoir pourquoi Dexter errait dans la jungle à une heure aussi tardive. Et il avait fini par lui raconter sa vie.

Kate poussa un soupir, tout en regardant les étoiles qui palpitaient dans le ciel, au-dessus du faîte des arbres.

— C'est parfois difficile de s'ouvrir aux autres. Mais si c'est pour la bonne cause.

— Oui, c'est vrai, acquiesça Dexter.

Il lui jeta un coup d'œil à la dérobée, se demandant si elle était prête à se livrer.

— Tu penses à quelqu'un en particulier ?

Kate hésita pendant plus d'une minute, et il crut qu'elle n'allait pas lui répondre.

— A Jack, essentiellement, finit-elle par avouer. J'ai quelque chose à lui dire. Reste à trouver le moment propice.

— N'attends pas trop, lui conseilla Dexter. Si tu as des choses importantes à lui confier, vas-y. Ce ne sera peut-être pas aussi difficile que tu le…

— Qu'est-ce qui te dit qu'il fera l'effort de comprendre ! le coupa-t-elle, d'un ton presque accusateur.

Dexter la regarda.

— Il se peut effectivement qu'il ne veuille rien entendre, concéda-t-il, songeant aux problèmes qu'il rencontrait dans son couple. Mais toi, rien ne t'empêche d'essayer de t'expliquer. Pour ma part, je regrette de n'avoir pas insisté davantage pour que Daisy accepte de m'écouter.

Kate acquiesça d'un hochement de tête.

— Tu as peut-être raison. J'essaierai de lui parler demain.

Elle reporta son attention sur Dexter.

— Je me suis montrée curieuse. Excuse-moi. J'espère que cela ne t'a pas trop déprimé de revenir sur tout ça.

— Mais tu n'y es pour rien, lui assura-t-il, luttant contre l'auto-apitoiement. C'est moi qui ai évoqué mes problèmes. Sauf que les autres savent, maintenant, que j'ai menti sur mon identité. Et ils ne me feront plus jamais confiance. Je les comprends, remarque.

Kate secoua la tête.

— Je doute qu'ils t'en tiennent rigueur. Nous avons tous des secrets, tu sais.

Elle leva les yeux vers les étoiles.

— D'une certaine façon, le fait de se retrouver échoués sur cette île est l'occasion pour chacun de repartir à zéro.

Dexter lui lança un regard dubitatif. Sans doute voulait-elle seulement le rassurer. Une femme comme Kate ne pouvait pas mener une double vie. Il appréciait toutefois qu'elle ait tenté de lui remonter le moral. Si son récit ne l'avait pas choquée, peut-être pouvait-il espérer un minimum de compréhension de la part des autres rescapés.

Quelques minutes plus tard, ils regagnaient la plage. Dès qu'ils émergèrent de la lisière de la forêt, Boone les repéra et se hâta de les rejoindre.

— Dexter ! s'exclama-t-il, avec un soulagement évident.

Kate poursuivit sa route vers les feux de camp.

— Tu nous as fait une de ces peurs ! Tu pars en courant, dans la nuit ! On s'est inquiété pour toi, mec.

— Vraiment ?

Dexter en fut tout ému.

— Pourtant j'ai menti à tout le monde…

Boone haussa les épaules et eut un geste qui signifiait : cela n'a aucune importance.

— Ne sois pas bête, dit-il. Tu n'étais pas toi-même. Nous sommes tous perturbés, depuis le crash. Et toi, en plus, tu souffres de déshydratation.

Arzt arriva juste au moment où Boone disait cela.

— Il a raison, tu sais, renchérit-il. Je n'arrête pas de te le dire, pourtant : il faut que tu boives beaucoup, et que tu fasses attention. Autrement, tes troubles peuvent dégénérer.

Arzt paraissait à la fois soucieux et agacé.

— Merci, les mecs. Désolé de vous avoir inquiétés.

Dexter vit alors que Shannon l'observait, quelques mètres plus loin. Il lui adressa un sourire maladroit et elle eut un rictus gêné, avant de détourner les yeux.

Dexter poussa un soupir. Certaines personnes allaient peut-être l'éviter, maintenant qu'elles connaissaient la vérité à son sujet. Mais il n'y pouvait plus rien changer. Il se devait de l'accepter.

— Alors vous n'allez pas me considérer comme un cinglé, les gars ? lança-t-il.

Il avait voulu se montrer désinvolte, mais sans succès.

Boone haussa les épaules.

— Les gens se conduisent bizarrement, quand ils ne sont pas dans leur assiette.

— Exact, acquiesça Arzt, en hochant la tête.

Il prit l'air entendu du professeur qui en a beaucoup vu.

— L'important, c'est que tu nous aies dit la vérité quand tu t'en es souvenu, ajouta-t-il.

— Merci les gars, dit Dexter, reconnaissant. Et ne vous en faites pas. C'est la vérité. Comme tout ce que je dirai à partir de maintenant.

Il vit quelque chose bouger à l'orée de la jungle. N'était-ce pas une silhouette solitaire, qui rôdait dans le noir ?

Son double tourna les talons, n'ayant plus rien à faire dans les parages. Dexter se sentit totalement libéré de lui.

Un peu plus tard, il se retrouva assis autour d'un feu, en train de discuter avec Boone.

— Ce n'est donc pas étonnant que je n'ai pas pu me rappeler ce restaurant dont vous parliez, avec Shannon, remarqua Dexter en riant. Je n'ai jamais mis les pieds à Los Angeles ! Nous devions y faire escale, et ç'aurait été la première fois que j'y serais allé.

— Alors maintenant que tout te revient, est-ce que tu sais si ta petite amie était dans l'avion ? lui demanda Boone.

Dexter secoua la tête, attristé.

— Je n'en suis toujours pas certain, répondit-il. Mais pour le moment, je n'ai pas trouvé trace d'elle sur l'île.

Boone hocha la tête, songeur.

— C'est dur, mec.

— Oui.

Dexter soupira et regarda fixement le feu.

— Je vais devoir attendre que les secours arrivent pour savoir ce qu'il en est.

Il commençait à réaliser qu'il y aurait toujours des choses qu'il ignorerait, ou ne pourrait comprendre. Peut-être était-ce le principe même de la vie.

« Et peut-être n'avons-nous d'autre recours que de nous appliquer à chercher la vérité, songea-t-il, en effleurant sa cicatrice. Aussi dur que cela puisse paraître. »

*Achevé d'imprimer sur les presses de*

**BUSSIÈRE**

GROUPE CPI

*à Saint-Amand-Montrond (Cher)*
*en juin 2006*

FLEUVE NOIR
12, avenue d'Italie
75627 Paris Cedex 13

— N° d'imp. : 61214. —
Dépôt légal : juillet 2006.

*Imprimé en France*